DANS LA MÊME COLLECTION:

En vente chez votre marchand habituel
ou chez

PRESSES SÉLECT LTÉE
1555 Ouest, rue de Louvain
Montréal, Qué.

VAINCRE LA TIMIDITÉ

par
Marie-France DAVID

« *Tous les pouvoirs, toutes les vertus, toutes les beautés,
toutes les possibilités que vous reconnaissez chez les autres,
vous les avez aussi en vous ; toutes les joies
que vous voyez préparées pour les autres,
sont aussi préparées pour vous...* »

WALT WHITMAN

PRESSES SÉLECT LTÉE
1555 ouest, rue DE LOUVAIN
MONTRÉAL, QUÉBEC

Dépôt légal :
Bibliothèque Nationale du Canada
Bibliothèque Nationale du Québec
Deuxième trimestre 1978

© 1978 **Presses Sélect Ltée**, Montréal, Qué.

PRÉFACE

*« Seul l'effort sur soi
m'apprend à vaincre et à conquérir ».*

Symbole [1]

La réussite dans la vie dépend beaucoup de l'expression objective de chacun. Nous avons tous deux personnalités : une personnalité innée et une personnalité acquise. Très souvent, la personnalité innée n'est pas à l'avantage du sujet et défavorise ses relations avec le milieu évolutif dans lequel il se trouve confronté. Il faut donc, grâce à la volonté, construire une nouvelle approche de l'existence pour éliminer ce qui arrête les moyens d'expression et de réalisation.

---

(1) Voir « *L'heure des révélations* » de Jeanne Laval (diffusion Sélect).

La timidité est un obstacle que nous avons presque tous connu : c'est une conséquence de la société matérielle et compétitive dans laquelle notre éducation s'est déroulée ; on nous dit en effet que l'on sera quelqu'un dans la vie si l'on atteint tel ou tel objectif, telle ou telle situation sociale, en nous présentant des modèles standardisés.

Si les obstacles pour arriver au but sont trop importants à franchir, c'est le conflit psychologique et l'être se referme sur lui-même souffrant du complexe d'infériorité face à tout son environnement. Son expression devient alors défensive et son action se trouve réduite d'autant.

La timidité comme nous le verrons dans ce très bon livre de Marie-France David peut prendre plusieurs formes : soit une forme paralysante par arrêt complet de la fonction active, soit une forme créatrice par révolte du sujet contre une réaction physiologique ou psychologique qu'il n'accepte pas.

La volonté joue un grand rôle dans le traitement de la timidité. Par un effort continuel sur les moindres détails de la vie quotidienne, en osant parler à des gens qui nous impressionnent, en nous efforçant d'orienter nos pensées vers une direction positive, on s'achemine peu à peu vers une structure intérieure prête à vaincre tous les obstacles.

La vie est une lutte sans trève et pour reconnaître le bon chemin à suivre, il faut savoir qu'il monte toujours un peu plus que les autres...

Jean-Louis Victor [2]

_____

(2) Jean-Louis Victor, écrivain, directeur littéraire, conférencier, est notamment l'auteur du livre : « *Votre réincarnation, cette prochaine vie qui vous attend après la mort* » (Éditions Sélect, Montréal).

INTRODUCTION

Vous avez quinze ans, trente ans, soixante ans, qu'importe ! Vous souffrez d'un mal paralysant qui vous obsède, de cette timidité qui jette un voile opaque sur le monde qui vous entoure, projettant ses peurs, ses angoisses, sur chaque être rencontré, chaque action à réaliser ; et votre plus cher désir est de la vaincre.

Alors vous avez acheté ce livre, sans trop y croire parce que vous vous jugez « incurable », parce qu'on vous a dit que vous n'y pouviez rien, que vous étiez « nés comme ça », que vous teniez cette facheuse tendance de votre grand-mère, que sais-je encore... Eh bien, je puis vous dire que cela est faux, totalement faux, qu'il vous est possible de vous débarasser rapidement de cette encombrante timidité qui vous fait passer à côté de l'existence et gâche votre vie. Si j'ose vous l'affirmer ainsi, c'est parce que je fus moi-même victime de cette maladie depuis mon plus jeune âge, et que finalement il me fut possible de m'en guérir facilement après avoir retrouvé et appliqué pour mon propre compte les « clés » simples et naturelles permettant une guérison rapide, complète, définitive.

Le but de cet ouvrage est de vous proposer l'application des lois simples grâce auxquelles tout être peut retrouver l'assurance, la confiance en soi, l'aisance lui permettant de s'exprimer et d'agir avec plus de justesse et de naturel et donc de mieux réussir sa vie.

La seule chose que je vous demande avant d'entreprendre cette étude, c'est d'accepter de « jouer le jeu » pleinement et sans restriction. Au cours de la lecture de ce livre, vous allez donc vous efforcer d'adpoter l'attitude intérieure la plus positive possible, la plus empreinte de disponibilité, afin d'effacer de votre mental le sentiment négatif qui ne cesse de tenter de vous persuader que tout cela ne sert de rien, que vous avez fait l'effort d'acheter un ouvrage traitant de ce sujet mais qu'au fond vous êtes bien persuadé que votre lecture terminée, vous allez vous retrouver dans la même situation qu'auparavant, avec un échec de plus à votre passif !

Faites cet effort, je vous le demande avec insistance, et je vous assure que vous en serez récompensé fort largement. Ce sera d'ailleurs le seul effort véritable que vous aurez à fournir, car le reste suivra tout seul, naturellement. Que cette dernière remarque vous rassure donc si vous êtes de ceux qui ont « réussi » à se persuader qu'ils manquaient « de la volonté nécessaire pour s'en sortir ! »

Un chapitre sera d'ailleurs consacré à la volonté, car elle est un facteur important de la vie quotidienne que bien peu de gens, hélas, savent mettre réellement en action. Sachez, avant tout autre chose, qu'il faut distinguer entre volonté et crispation ; que la plupart des personnes dont vous dites « qu'elles ont de la volonté » n'en ont souvent pas plus que vous, mais sont crispées, ce qui est tout différent. Évitez donc de vous crisper sur votre désir de vaincre la timidité ; cela ne ferait qu'agraver les choses. Contentez-vous de « vouloir », sans tension, sans effort. Ce point est très important.

Après ces quelques précisions, acceptez de me considérer comme votre amie, et à deux engageons-nous d'un pas ferme et le coeur léger sur le chemin menant à votre guérison, afin que la dernière page une fois tournée, vous vous sentiez un être neuf, prêt à goûter l'existence et à l'affronter avec toutes vos forces vives et un intérêt que jusqu'alors vous aviez cru relever de la pure utopie.

Alors, si vous le voulez bien, en route !

Chapitre I

LES CAUSES DE LA TIMIDITÉ

« *Le pli de la timidité se prend machinalement.
Une personne nous-a-t'elle une fois intimidés ? Désor-
mais nous ne pouvons plus être assurés en sa présence,
et le raisonnement s'applique en vain à détruire cette
impression première. Toutefois, il est à noter que ce
n'est pas de la simple accumulation des intimidations
passées, mais du souvenir, resté présent, de ces intimidations, qu'est faite la timidité* ».

DUGAS : la timidité (Ed. ALCAN)

Les causes de ce mal sont très diverses, variant
selon chacun, mais toutes dérivent de trois cas primor-
diaux :

a) les causes personnelles résultant de notre état
psychique.

b) les causes extérieures à nous, provenant d'autrui.

c) les causes extérieures inanimées : les choses, objets,

situations diverses déclenchantes d'accès soudains de trac.

L'éducation joue sous ce rapport un rôle souvent déterminant, et un chapitre sera consacré à la timidité des enfants, si facile à éviter, et qui pourtant conditionne fréquemment le manque de confiance en soi éprouvé à l'âge adulte.

Nous allons rapidement analyser ces diverses causes de la timidité, ce qui permettra, en connaissant mieux le phénomène, d'en dégager les moyens propres à le guérir.

A. - *CAUSES PERSONNELLES, inhérentes à soi-même.*

Parmi ces causes, plusieurs sont à distinguer :

1) **L'affaiblissement des moyens**, occasionné par l'émotion, la fatigue, la maladie, l'hygiène de vie défectueuse...

Il suffit parfois d'avoir éprouvé une vive émotion pour perdre tous ses moyens au moment précis où ils sont nécessaires. Je me souviens avoir échoué à un examen auquel j'étais bien préparée parce qu'une heure avant de me rendre à l'épreuve, j'avais assisté impuissante à la mort brutale d'un petit animal familier que je chérissais.

Ceux dont le métier est de paraître en public savent combien une simple nouvelle désagréable peut être perturbatrice au moment de l'entrée en scène. C'est pourquoi certains artistes ne décachètent leur courrier qu'à l'issue de la représentation. Mais pour tous, il est à remarquer que le jour où nous devons accomplir un acte important, (que ce soit prendre la parole lors d'une réunion ou affronter son directeur, passer un examen ou se rendre à une convocation) notre nervosité est en général accrue, et le moindre tracas prend des proportions inquiétantes propres à nous mettre dans un état d'infériorité entravant le libre fonctionnement de nos attitudes physiques, de notre mental et surtout de la mémoire. C'est ainsi que bien souvent c'est après que reviennent à la mémoire les arguments, les phrases, les mots qui nous ont fuis au moment où ils nous étaient nécessaires.

Est-il besoin d'ajouter que parler du trac, de la timidité est l'un des moyens les plus sûrs de l'acquérir... et d'en faire profiter son interlocuteur ? Il n'est que d'écouter les conversations de candidats avant un examen pour se rendre compte qu'ils s'autosuggestionnent tous collectivement. Exhorter quelqu'un au calme peut être tout aussi préjudiciable, la question sous-entendant qu'il y a des raisons de le perdre ! Il faut donc être très prudent lorsqu'on s'adresse à quelqu'un que l'on suppose être atteint de trac, afin de ne pas l'impressionner davantage.

La débilité congénitale comme d'ailleurs le délabrement acquis tendent à engendrer la timidité. La conscience d'une infériorité d'ordre physique ou mental peut suffire à perturber profondément un être sensibilisé par l'opinion qu'autrui a de lui. De même, si l'on rencontre peu de timides parmi ceux que la nature a doté d'un visage agréable et d'un corps bien fait, il existe une foule de prédisposés à la timidité qui s'hypnotisent euxmêmes sur de légères imperfections que leur imagination amplifie à tel point qu'ils croient être l'objet de l'attention ironique de tous ceux qu'ils rencontrent. Se croyant ridicules et donc incapables de plaire, leur seul désir est de se cacher, de passer inaperçus, ce qui bien sûr va leur fermer toutes les portes de la réussite. Combien de jeunes femmes ont gaché une bonne part de leur vie à déplorer devant leur miroir un nez jugé trop grand ou trop petit... en se refusant par ailleurs fermement à prêter la moindre attention à ce qu'en disaient leurs amis qui pour leur part pensaient que ce pauvre nez était accusé bien à tort !

Il faut souligner ici que la séduction, le charme qui se dégage d'une personne est à distinguer de la beauté physique. Il est des êtres laids et difformes qui attirent autour d'eux tous les amis qu'ils peuvent désirer, alors que certaines personnes dotées de la beauté des statues grecques... sont comme ces dernières, de marbre et incapables de se rendre sympathiques ni attirantes. Le charme, le magnétisme personnel aussi s'acquiert et se cultive, même si l'on s'en croit totalement dépourvu.

Un chapitre sera consacré ultérieurement à la correction des causes « organiques » de la timidité et à la mise au point extérieure (vestimentaire, parole, allure générale...) permettant de se reconditionner harmonieusement.

2) **L'émotivité, la sensibilité excessive**, qui entraîne une mauvaise coordination musculaire et mentale, est certainement une des causes premières de timidité. L'émotif voit ses réactions physiologiques multipliées, exagérées en intensité et en durée. Ce qui, chez un autre, ne provoquerait qu'une impression légère, le laisse rougissant ou blême, tremblant et le coeur battant la chamade. Il ne faut pas s'étonner alors si la maîtrise de soi de l'émotif est précaire : il va se mettre à bégayer, ne plus trouver ses mots et perdre rapidement son assurance. Renouvelée plusieurs fois, l'expérience risque de lui

coûter ce qui lui reste d'estime de lui-même, et le sentiment d'infériorité va s'installer à demeure en même temps que la timidité. Heureusement l'émotivité est contrôlable et la maîtrise de soi-même accessible à tous ceux qui veulent bien en pratiquer les lois élémentaires.

L'hypersensible, pour sa part, n'est émotif que parce que ses perceptions sensorielles et psychiques sont très amplifiées par rapport à la moyenne des gens. L'intensité des impressions reçues le met à part et lui fait craindre les effets désagréables de la moindre rebuffade. Il aura alors tendance à se retirer, s'isoler pour se protéger de la souffrance, ce qui peut le faire passer à côté d'une vie qu'il se refuse à affronter. Pourtant l'hypersensible est bien souvent doué d'une intelligence vaste et profonde lui donnant toutes les chances de réussir dans l'existence en choisissant les domaines où il excelle. Là encore, il est possible d'apprendre à gouverner sa sensibilité au lieu de se laisser entraîner par elle : cette modification n'entraîne nullement une diminution de cette sensibilité, mais la met sous le contrôle pacificateur du mental supérieur dans un but harmonisateur.

3) L'imagination.

Le timide ne vit pas sa vie, il l'imagine en supposant toujours ce que l'on pensera de lui, comment il pourra se défendre des critiques qu'on ne peut manquer de lui faire, quelles seront les conséquences (désastreuses bien entendu !) de la moindre de ses entreprises. Les images mentales sans cesse ressassées de ses échecs, de ses craintes, finissent par l'auto-suggestionner profondément et ceci d'autant plus que ses facultés imaginatives sont plus développées. Le timide ainsi affligé va projeter à l'avance sur son écran mental le film de la situation qu'il appréhende, mais à sa manière à lui qui lui est toujours défavorable. Craint-il l'entrevue qu'il doit avoir le lendemain avec certaines personnes ? Il se verra rougissant et contracté, bégayant lamentablement ou, ce qui est pis, incapable d'entrouvrir la bouche devant le regard ironique et réjoui des protagonistes de la scène qui lui répondent sans aménité en le scrutant des pieds à la tête afin de prendre note de la moindre défectuosité en lui. Comme le corbeau de la fable, « honteux et confus », il se promet alors d'éviter tout autre échec cuisant de cet ordre, et commence la série des actes manqués, retards « involontaires » destinés à fuir la situation redoutée. Mis dans l'obligation de l'affronter, le phénomène d'auto-suggestion va jouer à fond, et il ne se sera pas rendu compte le moins du monde de l'attitude réelle de son interlocuteur qui tout en discutant laissait peut être voguer une bonne partie de sa pensée sur la mer bleue de ses prochaines vacances ou vers le fauteuil qu'il allait retrouver avec plaisir une fois rentré chez lui !

Un autre inconvénient grave provoqué par une imagination mal dirigée, est l'amplification de l'importance réelle de l'action, apportant une difficulté là où en réalité il n'y en a pas. S'imaginer que l'univers va s'écrouler si on rate un examen même important, prédispose à l'échec. Après avoir commis une gaffe en public, se remémorer indéfiniment l'incident en se persuadant que toutes les personnes présentes l'ont remarqué et vont dorénavant vous montrer du doigt lorsqu'elles vous rencontreront, tout cela est fort exagéré : la plupart n'ont rien remarqué, et pour les autres, non seulement ils ne vous en tiendront pas rigueur, mais étant eux-mêmes pour la plupart maladroits à l'occasion, le spectacle d'une bévue commise par quelqu'un d'autre a le caractère rassurant de l'imperfection qui constitue l'apanage de la race humaine.

En apprenant à maintenir vos qualités imaginatives en de justes limites, non seulement vous retrouverez rapidement une bonne part de cette nécessaire confiance en vous-même qui vous échappe, mais vous pourrez utiliser constructivement une imagination bien exercée... mais mal employée.

4) Manque de confiance en soi et orgueil.

Chaque homme possède naturellement cette qualité qui doit lui permettre de faire son chemin dans la vie. Ceux qui en abusent deviennent égoïstes, vaniteux, orgueilleux, et prouvent ainsi leur peu de discernement. Le timide qui en général manque de confiance en lui-même, est voué à une certaine médiocrité et n'a pas cette indépendance qui lui permettrait de jouir librement du fruit de son travail. On peut être instruit, intelligent, doué de qualités supérieures, décidé à vivre selon un idéal pur et noble, et cependant se sentir incapable d'agir le moment venu, ou de dire « non » si cela est nécessaire de peur d'offenser les autres. Avoir confiance en soi, c'est avoir conscience de ses facultés, de son indépendance, de sa dignité d'être humain et de la place que chacun occupe dans le monde ; c'est savoir que chacun est nécessaire, mais aucun indispensable ! La confiance en soi, ce n'est pas l'assurance vaine ni l'arrogance ou la vantardise : « l'homme qui a confiance en lui se suffit à lui-même, il ne demande pas à l'autre de faire pour lui ce qu'il peut faire lui-même, il ne perd pas son temps à rêver ou à compter sur ses semblables : il se lève et agit » (Boisson de la Rivière : « La confiance en soi »). Cette qualité primordiale de l'être humain lui donne sa dignité, la conscience de sa liberté intérieure et du fait qu'il ne dépend profondément que de lui-même ; développer la confiance en soi, c'est apprendre à s'assumer, à se prendre en charge soi-même en se refusant d'être plus longtemps une charge pour les autres. Lorsque cette qualité sera harmonieusement développée en vous-même, elle vous permettra enfin de vous situer dans le monde (et au delà) à votre juste place, et les désordres causés par l'imagination disparaîtront aussitôt. La maîtrise de soi en dépend dans une large mesure. La réflexion, l'observation, l'exercice du discernement... et une dose d'humour, sont les moyens mis en oeuvre pour recouvrer cette faculté en partie perdue. Et surtout, apprenez à ne plus dramatiser, c'est primordial !

5) **Volonté insuffisamment exercée.**

La difficulté de vouloir, généralement imputable à une éducation défectueuse est un problème important que nous aborderons plus tard. La volonté agit sur l'imagination, de même que l'inverse ; et se dire que l'on ne pourra pas équivaut à ne pas pouvoir. La volonté est un puissant levier qu'il faut avoir développé au moins dans une certaine mesure, sous peine de perdre à la fois l'estime de soi-même et l'estime d'autrui. C'est pourquoi le manque de la capacité de volition joue un rôle important dans l'acquisition des réflexes de timidité. Ici encore les moyens existent, destinés à ceux qui ne sont pas, comme certains, doués de la volonté ferme capable de leur faire franchir les obstacles. Le simple fait de vous être engagé dans l'étude de ce livre prouve malgré tout que vous avez la volonté de vous tirer d'affaire et que vous êtes prêts à en prendre les moyens. Il n'y a donc aucune inquétude à avoir pour vous : tout ira bien et vous saurez mettre en oeuvre les exercices qui vous seront donnés pour vous aider.

6) Éducation mal dirigée.

« La timidité est rarement naturelle. Elle ne naît chez les enfants que lorsqu'une éducation maladroite les a rendu farouches et défiants de leur propre mérite (Yoritimo : « La timidité »). L'enfant étant très sensible à la suggestion, même inconsciente de la part de ses parents, c'est durant l'enfance que se créent les racines de la timidité future. Si dans votre cas, il ne sert à rien de revenir sur ce point, ce qui ne changerait rien et vous donnerait au contraire l'occasion de reporter sur d'autres (vos parents) la responsabilité de phénomènes qu'ils n'ont fait que déclencher et amplifier par des propos inconsidérés, il reste que si vous avez des enfants, votre rôle en ce domaine est important et il convient donc d'en prendre conscience.

7) Manque d'entraînement, qualification ou préparation insuffisante.

Vouloir faire quelque chose pour lequel on n'est pas suffisamment préparé, se surestimer ou manquer de la volonté et du discernement nécessaires pour pouvoir atteindre le niveau requis, tout cela ouvre de larges portes à un échec probable et donc, si l'on y est prédisposé, à la crainte d'entreprendre ou à la peur du ridicule qui sont des racines de la timidité. L'enfant paresseux mais sensible va souffrir de ses échecs sans prendre les moyens de les éviter ; plus tard, il ne conservera de cela que le sentiment de l'incapacité de réussir, ayant oublié qu'il pouvait réussir s'il le voulait ! Un timide a donc tout intérêt à se préparer (examen, réunion, conférence, entretien, compétition, etc...) beaucoup plus que celui qui a de l'assurance et ne perd pas ses moyens. Il lui faudra compter en effet avec les « brouillages » divers que lui cause son émotion. Même quelqu'un d'assuré ressentira une juste appréhension s'il doit se produire en public en ne possédant qu'à peu près bien son sujet. Il ne faut donc pas accuser la timidité du trac ressentit à la veille d'une épreuve à laquelle on ne s'est pas suffisamment préparé, ou dans l'exercice d'une profession pour laquelle on ne se sent pas vraiment qualifié. Le remède ici est bien simple : s'informer, augmenter ses connaissances avec méthode et se bien préparer pour parer à toute défaillance.

B. - CAUSES PROVENANT DE NOS RAPPORTS AVEC AUTRUI.

1) Comportement des autres.

S'il faut se produire devant plusieurs personnes, quelle qu'en soit la raison, le comportement de chacun est influencé par celui des autres. Les auditeurs sont-ils attentifs, concentrés ? Le timide est « démonté » par la crainte de « n'être pas à la hauteur ». Il redoute de ne pas donner ce qu'on attend de lui. Cette attitude prouve un manque de confiance en soi.

L'inattention, si elle encourage certains, désarme les autres qui renoncent aussitôt à faire l'effort nécessaire pour captiver à nouveau l'attention de leur auditoire. Obsédés par le désir d'en finir, ils renoncent même à tirer parti des arguments dont ils escomptaient le plus d'effet. Une critique à peine formulée, un regard mal interprêté peuvent faire perdre toute assurance.

Bien sûr, le fait d'avoir laissé prise à la critique et d'avoir essuyé des revers alors qu'on n'était pas timide suffit parfois à déterminer une crainte qui peut aller en s'approfondissant. De plus, le fait d'avoir en face de soi des personnes dont la valeur, la réputation, l'âge parfois peuvent impressionner, risque de fasciner et provoquer le doute de soi-même si l'on se dit qu'on ne sait rien lorsqu'on se compare à eux ; ce doute, bien évidemment, tend à disloquer les possibilités et les connaissances.

Le nombre des personnes présentes a une importance variable pour chacun. Certains sont intimidés par quelques personnes qui les observent et parfaitement à l'aise devant une foule nombreuse, ou le contraire...

« Je me sens timide devant trois personnes, disait Michelet, et je ne le suis plus devant trois mille ! »

L'imagination, là encore, joue un grand rôle et le fait d'apprendre à le maîtriser vous aidera beaucoup.

2) Manque d'habitude.

Le manque d'habitude dans la fréquentation des gens est la cause d'une nouvelle difficulté. Celui qui vit seul dans son coin, sortant peu et préférant toujours le silence et la solitude au contact de ses semblables, risque fort de se sentir dépaysé en présence de quelqu'un, et de ne pas savoir quelle attitude prendre. Le manque de laisser-aller, de naturel, de familiarité, poussent à adopter une attitude contrainte génératrice de timidité. N'étant pas à l'aise, ne souhaitant que rentrer chez soi, on n'attire guère la sympathie des autres, et ainsi, peu à peu le fossé se creuse, ouvrant la voie à toutes les « gaffes »... Il s'agit là bien sûr du cas posé par la misanthropie et l'égoïsme. Il est des hommes remarquables, au coeur débordant d'amour pour l'humanité toute entière, qui vivent retirés du monde dans une solitude et un silence relatif nécessaire à leur recherche personnelle, et qui se sentent parfaitement à l'aise en toutes situations car dans leur semi-retraite ils ont acquis un état d'équilibre et d'harmonie intérieure propre à dissiper tout faux-semblant et toute mondanité vaine et artificielle. C'est là un idéal à atteindre...

Walt Whitman, ce grand poète américain, dans un poème intitulé « le Répondeur », souligne ce fait en nous parlant d'un de ces hommes qu'il nomme « citoyen du monde » : « la cordialité de son accent est universelle. Sans faire de différence, il dit au Président à sa réception officielle : « Comment allez-vous, mon ami ? », de la même manière qu'il dit : « Bonjour, mon frère ! » à Machut qui sarcle son champ. Et tous les deux le comprennent et apprécient son langage. Voilà le nouvel homme de demain, NOTRE ÉGAL ! »

3) **Vivre la fraternité.**

Le jour où en vous-même vous aurez su réaliser cette fraternité avec tous les hommes que porte notre planète (et dont les religions ne cessent de parler depuis la nuit des temps sans grand résultat hélas !), vous n'aurez plus de problème de timidité, plus de problème d'orgueil ou de manque de confiance en vous ; nul n'aura plus d'autre pouvoir sur vous-même que celui que vous voudrez bien lui accorder, parce que vous serez capable de vous sentir « un » avec vos frères humains tout en acceptant les différences manifestées par chacun. La conscience profonde de votre propre réalité humaine, de votre dignité d'homme, fera que vous pourrez indifféremment rencontrer un monarque, un mendiant, un être supérieurement doué ou un ignorant : au-delà des « vêtements » de science ou de prestige, vous saurez percevoir la réalité humaine, semblable à la vôtre, commune à tous, et c'est à cette réalité que vous vous référerez parce qu'elle représente la seule qualité permanente. Tout le reste n'est qu'illusion d'un moment. De ce jour, nul ne pourra plus vous en imposer, et tout en vous réjouissant de la beauté et de la sagesse rencontrées, vous saurez rester toujours simple et naturel, rester vous-même, ce qui vous attirera toutes les sympathies à tous les niveaux.

Songez un instant que lorsque quelqu'un vous intimide, c'est parce qu'au fond vous avez honte de vous-même, vous ne vous acceptez pas, au moins sur certains points ; ne vous acceptant pas, et ceci parce que vous vous identifiez à votre apparence physique, à vos vêtements, à vos possibilités intellectuelles, etc..., vous pensez logiquement que les autres ne peuvent pas non plus vous accepter. Vous vous efforcez alors de changer de vêtement aussi vite que possible, d'enfiler le costume qui devrait mieux correspondre à votre interlocuteur afin de vous faire aimer, d'attirer sur vous son intérêt et sa sympathie.

4) Être soi-même.

Au fond, le timide est un mauvais acteur : il joue mal son rôle, s'en aperçoit... et se trouble ! Cela mène à une constatation importante au sujet de « ceux qui sont toujours à l'aise partout », ceux que vous enviez : parmi ces derniers se trouvent les êtres évolués dont nous venons de parler, à l'aise parce qu'ils sont **eux-mêmes** en toute circonstance, parce que rien ni personne ne peut les persuader d'entrer dans le « jeu des masques » habituellement pratiqué ; ce sont des personnes en qui l'on a spontanément confiance, qui attirent la sympathie, parce qu'elles sont vraies, authentiques, sans jamais essayer de se faire valoir ni d'écraser les autres par leurs qualités ou talents. Bien au contraire, ayant vécu en elles-mêmes l'unité humaine, elles sont patientes et compréhensives, discrètes et réservées... ce qui ne les empêchera pas d'aller dire en face à leur Président de la

République ce qu'elles pensent de certains problèmes, si cela semble réellement nécessaire.

C'est de cette catégorie là qu'il faut tenter de s'approcher, et le timide qui éprouve une impossibilité quasi permanente à sans cesse changer de visage et de comportement comme l'exigent souvent les lois de la vie sociale, est bien souvent un être épris d'idéal, d'amour de la vérité, mais qui s'est laissé influencé peu à peu par l'importance apparente accordée à la bonne exécution des comportements stéréotypés qu'on inculque aux enfants dès l'âge le plus tendre. Le timide alors tend ses efforts vers une manière de vivre qui ne correspond pas à sa réalité intérieure, il échoue et ne comprend plus rien. C'est la ritournelle des : « Donne la main quand tu salues quelqu'un », « Ne mord pas dans un fruit quand tu es en public », etc... qui apparaissent à l'enfant comme des lois sans queue ni tête et anti-naturelles. À l'âge adulte, c'est la même chose ! Passer son temps à tenter de vivre selon certains rites sociaux qui semblent compliquer la vie à tout le monde, mène à une sorte de compétition inconsciente et d'observation critique de soi-même et des autres : « lui sait fort bien se comporter alors que moi je n'y arrive pas ! » Et voilà le réflexe pris et le cercle vicieux engagé, poussé par l'orgueil qui fait penser : « Il faut que moi aussi je sois pris pour ce que je ne suis pas... »

5) Le comportement social.

Nous rejoignons ici la seconde catégorie de ces audacieux qui ne se laissent jamais démonter : ceux qui justement sont de merveilleux acteurs et peuvent à tout moment changer de masque et de personnage. On appelle cela la faculté d'adaptation analogue à celle du caméléon qui adapte sa couleur à celle de son environnement. Mais, quand le caméléon est-il vraiment lui-même ? Sait-il encore quelle est sa couleur naturelle, ou bien s'est-il identifié à son entourage au point d'en perdre toute identité ? C'est le problème de ces gens qui connaissent toutes les ficelles de la vie sociale et s'y sont merveilleusement adaptés dans les moindres détails par crainte d'eux-mêmes. Courir les réceptions, les réunions de toutes sortes permet d'apprendre à perfectionner de jour en jour son talent d'acteur (exemple : « avec un tel il faut que j'aie l'air réservé, celui-ci veut qu'on s'intéresse à ce qu'il dit et cet autre est très à cheval sur les manières ; devant elle il faut briller par les qualités sportives alors que celle-ci aime les longues conversations littéraires... »). Mais est-ce vraiment à souhaiter ? Désirez-vous vraiment mener une vie artificielle occupée à vous fuir vous-même et qui, si elle vous gagne de nombreuses relations, ne trompera jamais un homme de réelle valeur ? Je ne pense pas que vous le désiriez, et ce n'est pas sur ces chemins mal éclairés que je voudrais vous guider : vous y gacheriez votre existence.

6) « La politesse du coeur ».

Un mot encore au sujet de ces règlements sociaux que j'ai égratignés tout à l'heure. Comprenez bien qu'il ne s'agit pas d'accepter ou rejeter tel ou tel comportement voulu par l'usage ! Ce qui compte, c'est l'attitude intérieure qui préside à ce comportement. Les usages sont là pour faciliter la vie en société, pas pour la compliquer. Tout dépend de ce qu'on en fait. J'ai connu un homme, un de ces êtres avec lesquels on se sent tout de suite bien parce qu'ils vivent en harmonie avec eux-mêmes, qui se refusait à jouer le jeu des conventions ; invité dans une réception officielle, il s'amusait comme un petit fou du regard effaré de ceux qui, guindés dans leur smoking, le voyaient arriver avec de vieux vêtements mal ajustés et des manières désinvoltes. Il ne supportait pas ce qu'il appelait « ce mensonge en commun » et se moquait bien de l'opinion des « imbéciles », fussent-ils P.D.G. ou « Comte de Machin-Truc » comme il disait. Il savait que les hommes vraiment dignes d'intérêt présents à la réunion ne s'arrêteraient pas aux apparences et sauraient le percevoir dans ce qu'il était en réalité : un homme très sensible, fin et délicat lorsqu'il pouvait l'être sans avoir à jouer de rôle. C'est cela, la « noblesse du coeur ». Il y a un monde entre celui qui baisse sa télévision à vingt-deux heures « parce qu'il ne faut pas faire de bruit après dix heures du soir » par crainte d'une amende ou d'une plainte de ses voisins, en pestant contre « les règlements absurdes », et celui qui y pense tout naturellement parce qu'il serait désolé de gêner ceux qui veulent dormir après leur longue journée de travail. Si nous enseignons à nos enfants les lois de la vie en société, que ce ne soient pas des règlements morts et contraignants, mais une manière d'éduquer leur sensibilité aux besoins, aux désirs légitimes des autres ; ainsi la loi sera oubliée et fera place à la délicatesse, à la politesse du coeur qui dictera ses propres règlements, adaptés à chaque situation. Au discernement de chacun de juger de ce qui n'a vraiment pas d'importance... et de ne point s'en préoccuper ! La vie en sera simplifiée d'autant et pour tout le monde.

7) Un truc pour finir.

Je terminerai en vous donnant tout de suite un « truc » destiné à vous aider dans votre perception réelle des gens : lorsque vous êtes en face de quelqu'un qui vous impressionne, imaginez-le dans son plus simple appareil, dépouillé des accessoires qui bien souvent contribuent à créer le personnage qui vous intimide ; que devient votre directeur imposant, sans son costume ni sa cravate, sans lunettes ni cigare, sans la montre qu'il regarde d'un air impatient (ce qui contribue toujours beaucoup à vous faire perdre vos moyens !) ? Voilà que votre directeur vous apparaît enfin tel qu'il est avant d'être « un directeur » : un homme qui mène sa vie du mieux qu'il peut, parfois bien, parfois moins bien, avec ses qualités et ses faiblesses... pas très différent de vous en somme ! Qu'importe son nom, la famille qui l'a vu naître, ses relations... Regardez-le en tant qu'être humain. Très vite, vous ne serez plus impressionné ; vous le verrez jouer son jeu d'autorité, cela vous semblera peut-être assez pitoyable et dérisoire, et vous éprouverez plutôt de la peine au spectacle de sa lutte pour se prouver à lui-même qu'il existe, qu'il est important (ce qui est l'apanage de tout homme, et il est donc inutile de le prouver). Peut-être aussi découvrirez-vous que c'était vous-même qui le pariez d'atours impressionnants créés par votre imagination, et qu'au fond votre directeur est un homme simple et bon, faisant son travail le mieux qu'il le peut et prêt à accueillir avec joie un employé de son entreprise qui, *enfin* le prendrait comme il est, et non comme les autres pensent qu'il doit être, et se comporterait vis à vis de lui avec naturel, d'homme à homme. C'est cela, la véritable égalité. Ce n'est pas que tous soient faits sur le même modèle, avec les mêmes aptitudes, le même travail...

Essayez de suivre ce conseil. Avec un peu de pratique, il portera une riche moisson de naturel, de compréhension... et d'amitié fraternelle.

C. - CAUSES DE TRAC : LES CHOSES.

Il s'agit ici de détails purement matériels pouvant déterminer l'aggravation d'une tendance naturelle à l'angoisse et au trac. Ces causes représentent une importance relative qu'il est bon de connaître afin de trouver les moyens propres à les maîtriser. Nous allons rapidement passer en revue certains de ces détails.

1) La tenue vestimentaire.

Quoiqu'on en dise, l'habit fait souvent le moine, ou du moins le représente avec un symbolisme qui nous touche émotionnellement, malgré nous parfois. C'est ainsi que j'ai connu un homme qui allait régulièrement à la pêche avec l'un de ses amis, gendarme de sa fonction ; ce brave homme de gendarme, personne ne le craignait tant qu'il était en bretelles et bras de chemise. Mais dès qu'il avait revêtu son uniforme, le changement était évident. Ses amis continuaient à le traiter avec familiarité, mais de manière plus retenue, avec un reste de respect dans la voix : son uniforme les impressionnait de toute évidence, bien qu'ils s'en défendissent tous. Mais le plus étonnant tenait peut-être dans l'effet de l'uniforme... sur son propriétaire. En l'enfilant, il enfilait aussi un nouveau personnage, il devenait légèrement autre et s'auto-suggestionnait lui-même par sa propre image mentale du gendarme. Il devenait plus ferme, se tenait plus droit, prenait de la confiance en lui-même, toutes qualités qu'il perdait lorsqu'il quittait ses vêtements.

Cet exemple vous aidera à mieux analyser ce curieux phénomène lié au vêtement. Songez que bien souvent la tenue de quelqu'un vous impressionne beaucoup plus que la personne elle-même. Vous-même vous sentez beaucoup plus à l'aise en public lorsque votre tenue est parfaite, que vous êtes bien coiffé et vêtu avec soin. Qu'il vous arrive, Madame, de vous apercevoir qu'un de vos bas a filé en descendant de votre voiture, et vous voilà paniquée pendant toute la cérémonie à laquelle vous vous rendiez. La même chose risque fort de se produire si vous, Monsieur, vous apercevez soudain qu'il y a une tache sur votre cravate. Et pourtant, il est à peu près certain que personne ne s'en apercevra et que ceux qui peut-être remarqueront ces fâcheux détails les oublieront tout aussitôt. Seriez-vous capable, par exemple, de dessiner sans hésiter et immédiatement le motif de la tapisserie de votre chambre à coucher sans commettre d'erreur ni d'omission ? Fort peu de gens peuvent le faire, et pourtant ils passent plusieurs minutes chaque jour à la contempler, au réveil et au coucher, sans compter les autres moments de la journée. Simplement, voir n'est pas regarder ! Si regarder est un acte volontaire, réfléchi, concentré, permettant ainsi de fixer le sujet ou l'objet de l'observation dans la mémoire, voir est un acte purement automatique. Que de choses l'on « voit » dont on ne se souviendra jamais ! Eh bien, la plupart des gens (et la simple observation de vous-même vous le prouvera) ne font guère que *voir* leurs interlocuteurs, parce qu'ils sont plongés dans leurs propres pensées et tournées principalement vers eux-mêmes. Dans ce cas, comment voulez-vous qu'ils remarquent ce à quoi vous accordez vous-même tant d'importance... alors que vous seriez bien incapable de remarquer ce qui « cloche » dans leur tenue à eux ! Voyez la difficulté qu'a la police à établir le portrait-robot d'un homme que plusieurs personnes ont pu *voir* pendant plusieurs minutes.

Et pour clore ce sujet, pourquoi croyez-vous que les magistrats, juges, avocats, huissiers de justice, se revêtent de ces robes noires inhabituelles au regard et même, dans certains pays, de perruques blanches, si ce n'est dans le but d'en imposer davantage à ceux qui doivent comparaître devant eux. S'il s'agissait, à l'origine, de pousser le criminel aux aveux, il est par contre désolant de constater que cet apparat peut coûter cher à de pauvres timides rendus incapables de se défendre ou de proférer la moindre parole. Remarquez que ce désir d'en imposer n'est pas l'unique raison de la tenue des magistrats : cela leur permet aussi un anonymat qui protège, dans une certaine mesure, leur vie privée : peu de gens sont en effet capables de reconnaître un magistrat vu au prétoire s'ils le rencontrent dans la rue en costume de ville...

En ce domaine, il faudra donc nous efforcer, tous autant que nous sommes, à cesser de nous comporter comme de pauvres moineaux qui fuient devant un épouvantail, ce que nous faisons lorsque nous perdons toutes ou en partie nos facultés devant des habits dont l'aspect ne nous est pas coutumier ou bien évoque pour nous une certaine crainte ou un certain respect, semblable à celui du chien de Pavlov. Peut-être est-il temps, alors, d'apprendre à n'être ni moineau peureux ni chien aux réflexes conditionnés..., mais un homme libre et conscient.

2) **Le lieu, le local** qui peut nous influencer dans une mesure semblable à celle du costume. On ne se sent pas tout-à-fait le même dans une cathédrale qu'à la Cour d'Assises ou dans une salle de bal. Certains artistes qui se produisent sans le moindre trac sur les scènes de petites salles, se sentiront terrifiés par la scène de l'Opéra de Paris. L'atmosphère d'un hôpital, par les bruits entendus, la couleur des murs, l'odeur particulière, impressionne beaucoup de gens. Les exemples de ce genre sont légions. À vous de déterminer ce qui vous concerne le plus en ce domaine... Mais la nature elle aussi influe sur nous : nous ne sommes par impressionnés de la

même manière par le spectacle grandiose de montagnes enneignées ou par le calme et la douceur d'un jardin fleuri où coule une petite source. Il faut bien se rendre compte que tout notre environnement agit en permanence sur nous. Il nous appartient de nous « laisser agir » aveuglément, inconsciemment, ou de prendre conscience clairement de ce phénomène afin de pouvoir en tenir compte lorsque cela peut être de quelque utilité pour nous.

3) **La lumière** est aussi un facteur qui a parfois son mot à dire. Un lieu violemment éclairé contribue à mettre mal à l'aise parce qu'il met trop en vue. C'est pourquoi le fait d'éclairer le visage d'un accusé contribue à le faire passer aux aveux, car il est convaincu que la moindre pensée sera visible sur sa face, et cela peut être à l'origine de mouvements réflexes qui parfois l'accuseront.

Un timide, dont le rêve le plus cher est de ne point se faire remarquer, affectionne les coins sombres, les derniers rangs ; et un éclairage intense peut suffire à lui faire perdre tous ses moyens.

Un bon remède consiste à prendre son courage à deux mains et à chercher à se mettre le plus souvent possible en pleine lumière. Placez par exemple votre bureau face à la fenêtre : *votre* visage sera éclairé et celui de votre visiteur restera dans la pénombre ; parce que vous vous sentirez regardé votre attitude se modifiera peu à peu, favorisant une aisance qui ne sera bientôt plus affectée par les éclairages différents.

4) **Le luxe.**

Beaucoup de gens se laissent facilement impressionner par l'étalage d'une certaine fortune, « les signes extérieurs de richesse » : magnifiques propriétés, villa luxueuse, nombreuse domesticité, automobile de grand prix... La timidité engendrée par la richesse des autres n'est en fait que l'expression du sentiment d'infériorité que l'on ressent à ce spectacle. Le désir de posséder tout ce que l'on voit chez l'autre en est le moteur. On peut ressentir un sentiment d'infériorité en se disant qu'« eux » sont arrivés à se faire une fortune tandis que cela nous est interdit. Ce genre de sentiment ressemble d'assez prêt à la rancoeur et à l'envie. Apprendre à juger de la valeur des gens d'après ce qu'ils sont eux-mêmes réellement, et non selon leurs possessions, constitue à la fois un bon exercice de discernement... et le traitement du malaise.

5) **Caractère exceptionnel de la situation à affronter.**

Lorsque l'on est timide, on a plus que les autres besoin de se préparer lentement, progressivement aux situations devant être affrontées. Un évènement imprévisible auquel il ne s'est pas préparé et mettant en scène le timide, le laisse en général complètement désemparé : avoir à prendre la parole alors que cela n'était pas prévu, un changement de programme de dernière minute, tout ce qui n'était pas attendu rend difficile la maîtrise de soi-même.

6) **Nouveauté de la situation.**

De même, lorsqu'il faut pour la première fois de sa vie faire une conférence, monter en scène, exercer un poste de direction (à tous les niveaux), sortir de sa coquille afin de se manifester devant les autres d'une façon différente, le trac ne manque que rarement au programme même si l'on s'est préparé fort sérieusement et que tout semble au point : il ne s'agit ici que de la crainte légitime de n'avoir pas tout prévu et de ne pas savoir à l'avance comment se *vit* la situation à laquelle jusqu'alors on n'a fait que penser. Si l'on s'arrange pour ne pas laisser le trac tout détruire en soi-même aveuglément (ce qui enlèverait toute chance de succès), la crainte disparaît au fur et à mesure que l'expérience se renouvelle, chaque épreuve surmontée ajoutant à l'assurance gagnée lors du premier succès. Il est donc surtout important dans ce cas-là de ne pas céder à la panique.

7) En conclusion.

Nous avons passé en revue quelques éléments générateurs de trac et de timidité. Il en est bien d'autres, qu'il vous faudra découvrir en vous-même si vous voulez vous en débarasser. Cela fera l'objet de notre prochain chapitre. Il ne s'est agit, dans ce premier chapitre, que de débroussailler quelque peu le terrain, et de jeter un coup d'oeil sur ce qui semblait attirer le regard au premier abord. À présent, il faut passer sérieusement à l'action, avec méthode et ténacité. Si vous suivez attentivement mes conseils, si vous ne cherchez pas à aller trop vite (il faut laisser les choses s'assimiler peu à peu, on ne peut pas changer en quelques jours des réflexes datant de plusieurs années, car chacun possède son propre rythme d'adaptabilité qu'il ne peut dépasser sans risquer un déséquilibre physique ou psychique !), vous verrez votre manière d'être se transformer harmonieusement peu à peu, et lorsque vous fermerez ce livre, vous serez fort différent de ce que vous êtes aujourd'hui. De votre timidité il ne sera déjà plus guère question... Alors, bon courage !

Chapitre II

SACHEZ AFFRONTER VOTRE TIMIDITÉ

Vous avez accepté de joueur le jeu et de me faire confiance. La première chose à faire, le premier exercice, va consister en l'observation impartiale de vous-même. Peut-être cela vous sera-t-il difficile, car c'est le propre de la timidité que de fuir les problèmes, les gens, les événements... et donc de se fuir soi-même, sa réalité véritable.

1) **Observation de soi-même : devenez l'observateur et l'observé.**

Vous allez donc vous observer attentivement, tenter de devenir plus conscient de vous-même, de vos actes, de vos pensées, de vos réactions émotionnelles. Il n'est pas question pour le moment d'exercer un quelconque contrôle à ces différents niveaux. Il vous faut simplement apprendre à vous poser en observateur impartial. Imaginez qu'il y a deux personnages en vous : celui qui agit (l'acteur) et un autre qui de l'extérieur vous regarde vivre (l'observateur). Durant quelques jours, vous allez être ce second personnage, vous allez vous identifier à lui comme s'il s'agissait d'un extra-terrestre venu apprendre le mode de vie et de pensée des terriens ; qu'importe vos bons ou mauvais côtés, qu'importe ce que vous aimez ou n'aimez pas de vous-même ; vous n'êtes pas là pour vous juger, mais pour apprendre ce que vous êtes réellement. Cette impartialité est indispensable, d'autant plus qu'un timide a toujours tendance à passer d'un extrême à l'autre en ce domaine, c'est-à-dire à se mésestimer sans raison quatre-vingt dix pour cent du temps... et se surestimer tout-à-coup, selon un phénomène bien connu de compensation, les dix pour cent restants, et souvent à contretemps, ce qui mène généralement à une cuisante mésaventure bien faite pour renforcer encore le sentiment profond d'infériorité qui est le propre de tout timide.

Parfois, c'est au contraire d'un sentiment de supériorité que paradoxalement naît la timidité. Se sentant hors du commun, supérieur en bien des matières à ceux qui l'entourent, certains auront tendance à s'isoler, à se retirer dans leur « tour d'ivoire » en se drapant dans un orgueil qui les empêche de voir ce que sont vraiment les autres humains et en quoi ils sont eux aussi dignes d'estime. Ce type de comportement (très schématisé en ces quelques lignes il est vrai) mène tout aussi directement à la timidité et en fin de compte à l'impossibilité d'user de talents qui pourraient en d'autres circonstances faire de la personne un être supérieur utile au bien commun de l'humanité.

2) **Analysez les symptômes de votre timidité.**

Il va donc falloir déterminer à quel type de timide vous appartenez. Pour cela, il vous sera très profitable de noter chaque jour vos observations, pendant une semaine par exemple. Vous allez ainsi assister à votre réveil : vous levez-vous facilement, sans problème, ou bien traînez-vous au lit le plus longtemps possible ? Et si vous traînez, est-ce parce que vous êtes encore fatigué malgré votre nuit de sommeil ou parce que vous appréhendez de commencer votre journée ? Peut-être avez-vous un problème délicat à résoudre aujourd'hui et votre timidité vous pousse-t'elle à trouver les moyens de l'éviter ; aussi, tous les « arguments » inconscients sont-ils bons pour retarder l'affrontement. En tant qu'observateur, vous allez comprendre vos motivations, mieux percevoir l'origine de vos peurs, et peut-être cette origine vous paraîtra-t'elle tout-à-coup bien inconsistante ; vous serez alors sur la bonne voie, celle de la libération.

Regardez-vous à votre travail, dans la rue. Pourquoi hésitez-vous à frapper à la porte de votre ami auquel vous aviez pourtant l'intention de rendre visite ? Vous savez pourtant que vous allez être accueilli avec joie, que tout se passera bien, que même si vous « gaffez » (votre grande terreur !), cela n'aura aucune conséquence grave... Peut-être pensez-vous que votre ami est sur le point de passer à table, ou bien que vous allez le déranger dans son activité, ou toute autre bonne excuse. Mais allez plus loin, ne vous arrêtez pas aux premières barrières protectrices que tente de vous opposer votre inconscient dans le but de vous empêcher d'aller fouiller un peu plus profond dans le fatras accumulé depuis l'enfance et qu'il veut dissimuler soigneusement de crainte du bon coup de balai que vous pourriez désirer donner dans tout cela. Il est bien sûr méritoire au premier abord de veiller à ne pas déranger les gens. Mais au fond, vous savez parfaitement bien que là n'est pas le vrai problème car en ce cas vous auriez choisi un autre moment pour rendre votre visite. Si donc vous avez choisi ce moment-là, ce peut-être pour deux raisons :

1) vous avez inconsciemment choisi l'heure rendant impossible cette visite, parce qu'au fond vous ne désirez pas la faire.

2) votre hésitation soudaine et les arguments qui vous viennent ne sont que le fruit de votre timidité. Comprenez dans ce cas que ce n'est pas le souci de l'autre qui vous préoccupe, mais bien de vous-même ; vous craignez surtout d'être mal jugé, de déchoir si peu que ce soit dans l'opinion de l'autre, et cette idée vous est parfaitement intolérable. Au fond, dans ce cas comme dans tant d'autres similaires, votre manifestation de timidité n'est que de l'orgueil et c'est sur cet orgueil qu'il vous faudra travailler en premier lieu, l'ayant reconnu sous les voiles d'humilité dont il se paraît. Nous verrons ce problème par la suite.

3) **Sachez différencier en vous l'homme et le masque : « Homme, connais-toi toi-même... »**

N'oubliez pas que le problème actuel n'est pas de vous ériger en juge et bourreau de vous-même, de ce qui peut vous semblez inacceptable ; nous ne sommes pas sur la scène d'un théâtre classique et les sentiments cornéliens n'ont guère de place dans la vie de tous les jours où la principale vertu est avant tout d'être un homme, c'est-à-dire ni bête, ni dieu, (« Qui veut faire l'ange fait la bête » nous disait Pascal !) mais capable de se situer avec vérité dans l'univers en sachant reconnaître ses limites, qualités et défauts.

Il faut bien se persuader de l'idée que la personnalité dont nous sommes affublés n'est qu'un costume, un masque nous permettant d'agir sur ce monde terrestre. Les Anciens le savaient bien, qui faisaient dériver les mots « personne », « personnalité », « personnage », du mot latin « personna » qui signifie « masque ». « Personna », c'était le masque que les acteurs du théâtre antique portaient pour représenter le personnage qu'ils jouaient. Si l'on en croit toutes les religions, toutes les philosophies orientales ou occidentales tentant de nous expliquer ce que nous sommes et ce que nous faisons sur terre, nous avons tort de nous identifier intégralement à ce masque de notre personnalité qui n'est en fait qu'un habit temporaire ; il faut arriver à percevoir notre autre dimension, plus vraie, plus noble. C'est cela « se dépasser soi-même ».

Vous pensez peut-être que je m'éloigne du sujet, que la philosophie ne vous guérira pas : je n'en suis pas si sûre. Bien entendu, il y a une méthode, des trucs, des conseils qui certainement vous aideront à vaincre votre timidité. Je vous les exposerai en détail dans les prochains chapitres. Mais je reste intimement persuadée que ce dont nous avons le plus urgent besoin dans notre monde d'aujourd'hui, c'est de pouvoir nous retrouver en tant qu'hommes, nous désidentifier du rôle de robot que la société d'aujourd'hui voudrait nous voir jouer, reconnaître notre véritable dimension et notre dignité humaine qui va bien au-delà de ce que nous avons pris l'habitude de considérer comme constituant notre totalité, à savoir notre corps matériel. Si à l'heure actuelle nous souffrons tous, peu ou prou, de troubles psychologiques de diverses natures (il n'est besoin pour le vérifier que de consulter un annuaire téléphonique et de compter le nombre de psychiâtres, psychanalystes et psychologues divers exerçant actuellement), cela est dû en premier lieu au milieu antinaturel dans lequel nous vivons ; notre monde rationaliste à l'extrême, concentré sur la matière dont il extrait toute vie, nous coupe en fait de nos racines profondes aussi bien que de nos prolongements futurs et nous laisse ainsi terrifiés, abandonnés, ne sachant d'où nous venons ni vers quoi nous allons, ce qui fausse tous nos mécanismes. Même les églises et les religions diverses, imprégnées de l'ambiance mentale de notre époque, sont en crise et ne peuvent plus guère apporter de compensation qui puisse équilibrer cet état de fait. La foi ne suffit plus à la majorité de nos contemporains qui ont besoin de comprendre. C'est une des raisons pour lesquelles fleurissent de nos jours les écoles de méditation et les associations philosophiques qui aident profondément l'homme à se re-situer, à se comprendre, à retrouver les chemins perdus qui avaient aidés ses ancêtres dans leur marche en avant sur le sentier de l'évolution.

Je ne saurais trop vous conseiller de vous mettre en rapport avec l'une ou l'autre de ces « écoles », car cela constituerait pour vous un pas important dans votre recherche d'harmonie intérieure. Il faut savoir les différencier des sectes diverses nées, pour leur part, de mouvements religieux et qui sont en fait des « mini-religions ». Les écoles de méditation sont en général non directives et ouvertes à toutes les opinions en ce domaine si personnel, mais elles proposent à ceux qui le désirent des moyens de contacter d'autres réalités, supérieures, cachées, et auxquelles la science commence enfin à s'intéresser par le biais de la parapsychologie, cette science du futur qui est en voie de bouleverser bien des idées reçues, bien des « certitudes scientifiques » du genre : « Cela n'est pas explicable, c'est illogique, va contre nos lois scientifiques actuelles, donc cela n'est pas ! »

Il ne faut pas non plus oublier que seul le

dixième de notre cerveau fonctionne. Que recèlent dont les quatre-vingt dix pour cent restants et que serions-nous si nous savions les éveiller au moins partiellement ! Les religions disaient qu'il y a un dieu en chacun de nous et qu'il nous faut l'éveiller ; cela correspond à l'exacte vérité...

Regardez aussi les peuples primitifs. Ils n'ont pas encore (pour certains d'entre eux, de plus en plus rares hélas !) abandonné leur mode de vie conforme aux lois naturelles, que ce soit dans leurs coutumes, dans leurs méthodes de guérison ou dans leur alimentation... Vous ne rencontrerez aucun timide parmi eux. Les enfants hounza par exemple, ont un sens de l'équilibre qui terrifierait toute bonne mère de famille occidentale : on peut voir des petits âgés de deux ans courir sur des murs vertigineux ou grimper sans surveillance sur des rochers en à-pic... et il ne leur arrive jamais d'accident !

Cette digression a pu vous sembler longue, vous êtes avide de méthodes plus concrètes ; et pourtant, c'est notre esprit qu'il nous faut tous guérir en premier lieu, si nous voulons non seulement nous débarasser d'un défaut gênant mais encore nous harmoniser intérieurement au mieux.

4) Dédramatisez votre problème : considérez-vous avec humour !

Si pour un temps je me suis éloignée en votre compagnie du sujet qui nous préoccupait, c'était aussi pour vous permettre de prendre le recul nécessaire à la véritable observation de vous-même qui constitue le motif de ce chapitre. Il faut, et c'est très important, dédramatiser le problème en vous. Être timide, c'est bien gênant bien sûr, mais ce n'est vraiment pas si grave que ça en a l'air et on s'en sort très bien comme vous le verrez. Considérez-vous avec humour ; apprenez à rire de vous-même, avec bonne humeur ; non pas vous moquer, ce qui est destructeur, mais vous regarder vivre avec humour et faire de même pour ceux qui vous entourent. Créer autour de soi une atmosphère de gaité légère, d'humour, aide puissamment à remettre les choses à leur place, à leur rendre leur vraie dimension ; les choses sont rarement aussi graves et sérieuses qu'il y paraît. Ce n'est que lorsque l'on s'identifie trop à son propre personnage que l'on se met à tout amplifier inutilement, ce qui a pour premier effet de rendre tout le monde malheureux... et de n'apporter aucune solution efficace !

Vous pouvez aussi faire participer à notre jeu humoristique de « l'observateur-observé » un de vos proches en qui vous avez confiance et qui peut vous aider efficacement en vous faisant remarquer certains détails auxquels peut-être vous ne vous seriez pas arrêté.

5) **Ayez confiance : laisser faire l'esprit en vous.**

Que ce jeu ne devienne pas une idée fixe qui vous coupe de toutes vos activités cependant ! Vous devez plutôt l'installer en vous de sorte qu'il devienne une sorte d'automatisme se déclenchant dès que l'observation peut apporter un élément intéressant dans cette quête de vous-même que vous avez entreprise. En général, cette analyse est bien plus rapide qu'il n'y paraît, et l'exemple que vous en avez lu est plus long à écrire qu'à vivre. Il reflète pourtant assez bien la méthode à employer, avec le corrolaire déjà mentionné : se contenter pour le moment d'observer, et ne pas chercher à agir. LAISSEZ FAIRE !Les multiples prises de conscience qui vont ainsi parsemer vos journées vont avoir leur action propre sur votre subconscient et vous débarasseront petit à petit de vos troubles sans même que vous vous en rendiez compte et dans la mesure où vous ne bloquerez pas ce travail intérieur par une inutile crispation de votre volonté. Vous avez en vous le désir profond de vous libérer, symbolisé par l'acquisition d'un livre sur ce sujet. Cela suffit. Pour une fois, faites confiance à cette partie inconnue de vous-même et laissez-lui le champ libre. Elle saura très bien s'y prendre seule !

6) **Poursuivez l'inventaire de votre cas.**

Poursuivons encore un peu notre observation. Vous remarquerez alors qu'à certains moments vous aurez tous les courages (il faudra alors bien sûr en profiter pour vous exercer et vous prouver que vous n'êtes pas si timide que cela !) ; tandis qu'à d'autres, la moindre action aura sur vos épaules la pesanteur d'une montagne. Je me souviens fort bien avoir remarqué que ma timidité prenait, lorsqu'il pleuvait, des allures de poisson dans l'eau ; le soleil semblait au contraire lui donner des goûts de sieste qui me permettaient alors une plus grande liberté d'action. L'inconvénient était que dans ma région il pleuvait les trois-quarts du temps, ce qui n'arrangeait pas les choses... La plupart des timides peuvent constater une certaine influence sur eux-mêmes des variations atmosphériques, et donc en tenir compte dans une certaine mesure. Une juste observation vous permettra d'en juger.

Peut-être êtes-vous de ceux qui osent à peine marcher dans la rue, se sentant toujours observés, jugés, « disséqués » par chaque passant. Essayez là encore d'analyser avec clarté le problème : pourquoi toujours vous sentir MAL jugé ? Serait-ce que vous-même tendez à porter sur vous un jugement défavorable, ou bien pensez-vous secrètement que les autres sont incapables de reconnaître vos mérites et ne peuvent percevoir de vous que vos défaillances ? Vous sentez-vous mal habillé, mal coiffé ? Et en ce cas pourquoi l'êtes-vous ?

7) **De passif, devenez actif : soyez votre propre médecin.**

Le champ de ces observations est immense et permet de démêler assez rapidement le comportement personnel de base du timide ; c'est là un point très important du traitement. Au lieu de continuer à vous fuir vous-même sous le prétexte de l'éternel : « Que voulez-vous, je suis timide ! », voici que vous vous arrêtez enfin et que vous acceptez de regarder avec froideur et lucidité, afin de pouvoir porter par la suite un jugement clair sur le problème à résoudre. De passif, vous devenez actif. Auparavant, vous étiez la victime d'un mauvais sort auquel vous donniez le nom « d'hérédité », de « circonstances familiales particulières », ou « fruit d'un système éducatif trop rigide ou trop faible », etc... ; maintenant au lieu de continuer à vous lamenter inutilement, vous avez pris la décision de ne plus compter que sur vous-même pour effectuer votre propre transformation. Vous devenez le meneur de jeu et ce livre n'a pour but que de vous en apprendre les règles, non de se substituer à vous.

Étant devenu votre propre médecin, c'est de votre diagnostic impartial que vous saurez déduire votre thérapeutique personnelle. Bien sûr, il est possible d'user de recettes toutes faites, de suivre un programme clairement établi et d'obtenir ainsi des résultats. Mais que penseriez-vous d'un médecin qui, lorsque vous iriez le consulter, se contenterait de prescriptions « automatiques » ne tenant aucun compte de votre tempérament, ni de la cause profonde de votre maladie

et qui soignerait de la même façon tous ses patients at-
teints de maux de tête par exemple, quelqu'en soit
l'origine ? Eh bien de même qu'un bon médecin commence par ausculter soigneusement, observer divers
signes et questionner son malaise afin d'être en mesure
de lui prescrire exactement ce dont il a besoin, vous
aussi vous allez vous donner tous les moyens d'agir sur
vous-même le plus efficacement possible.

Je vous conseille d'en rester là pour aujourd'hui.
Efforcez-vous de vous observer pendant quelques jours,
ne continuez votre lecture qu'après avoir bien assimilé et
mis en pratique ce premier exercice. Lorsqu'il sera
devenu facile et aura porté quelques fruits, à savoir une
meilleure connaissance de vos mobiles profonds, vous
pourrez poursuivre votre étude. Au bout de trois à
quatre jours vous devriez déjà voir des résultats. Ne
cherchez pas à aller trop vite ; un résultat en profondeur
ne peut s'obtenir que dans le calme et la patience.
Depuis tant d'années que vous souffrez de votre
timidité, vous aurez bien la patience d'attendre un peu !
En un mois, vous serez pratiquement guéri si vous
suivez mes conseils, et il ne vous faudra qu'encore un
peu de persévérance pour parachever la cure. Bon
courage donc pour cette semaine d'observation
malicieuse sur cette planète étrangère : vous-même !

Chapitre III

DEVENEZ PLUS CONSCIENT

1) Prise de conscience des automatismes.

Un corollaire important à ce premier exercice tient dans la prise de conscience des automatismes qui jalonnent votre journée. La portée de ce nouvel exercice dépasse de loin la simple lutte contre la timidité : il permet le développement accéléré et harmonieux de la personnalité toute entière, de toutes les facultés humaines (mémoire, intuition, adaptation, etc...), l'apprentissage naturel du geste juste et donc de l'habileté manuelle, la maîtrise de plus en plus parfaite du corps et du mental. Cet exercice, pour simple qu'il paraisse, peut ouvrir de nombreuses portes, dont celle du développement spirituel. C'est pourquoi il est enseigné par de nombreuses écoles ésotériques, et cela depuis la nuit des temps.

Il est facile d'en comprendre la raison si l'on jette un rapide coup d'oeil sur le chemin suivi par l'évolution ; du stade minéral au degré humain, nous assistons à une lentre progression de la conscience des animaux des diverses formes qui la véhiculent. La conscience des animaux supérieurs n'est pas si éloignée de la nôtre et la parapsychologie explore à pas de géants le domaine des plantes. Qui eut imaginé, il y a une dizaine d'années, qu'un jour des hommes de science, des professeurs de renom, pencheraient leur tête vénérable sur d'étranges appareils leur révélant les émotions des tomates sur le point d'être cueillies ou la dépression nerveuse de la graine de soja à laquelle on a suggéré de renoncer à pousser... De la même manière, la conscience humaine est destinée à encore progresser, à s'étendre bien loin des limites fixées arbitrairement pas des scientifiques terrifiés à l'idée qu'ils pourraient un jour découvrir que l'homme n'est pas « le roi de la création », qu'il n'a pas atteint (tant s'en faut !) le point culminant de l'évolution.

En vous efforçant de développer votre perception consciente du monde qui vous entoure, vous allez ainsi à pas de géants vers le futur. Regardez d'ailleurs les enfants d'aujourd'hui : c'est devenu un lieu commun que de leur reconnaître un esprit plus éveillé, une compréhension plus rapide et dans bien des cas des perceptions, des intuitions qui les mettent mieux que leurs ainés à même de faire face aux surprises de l'existence.

Or, lorsqu'on est timide, ce que l'on ressent avec peut-être le plus d'acuité douloureuse, c'est ce sentiment de blocage, cet éternel obstacle posé entre le désir d'être ce que l'on est (et donc d'agir en conséquence !) et ce qu'en fait on manifeste qui est la plupart du temps tout à fait différent. Ces blocages destructeurs sont souvent dûs à une mauvaise appréciation du monde extérieur aussi bien que de soi-même. En étendant son champ de conscience, en s'efforçant, selon le principe bien connu de la philosophie Zen, de vivre « ICI ET MAIN-

TENANT », on élimine en profondeur et progressivement de nombreuses causes de la timidité aussi bien que du manque de volonté, d'adaptation, de motivation qui rend la vie insipide, pénible et mène en général à l'échec, de quelque nature qu'il soit.

Vous allez donc vous entraîner à la pratique de quelques exercices. Ils seront efficaces à condition de vous y astreindre régulièrement pendant un certain temps, et l'idéal serait même d'en faire une sorte de seconde nature qui vous rendrait de multiples services dans tous les domaines de votre vie, comme je vous l'ai expliqué au début de ce chapitre.

2) L'exercice le plus important.

Il dérive en fait de la technique de la méditation zen préconisée par Taisen Deshimaru. Si vous avez l'occasion, d'ailleurs, de pratiquer le za-zen (méditation assise) dans votre ville avec un groupe entraîné, je vous le recommande vivement. Cette décision serait un pas important menant à votre guérison. Vous pouvez en général obtenir des adresses dans les magasins de produits diététiques. Sinon, vous pouvez lire le livre de Maître Taisen Deshimaru : « Za-Zen ». Il est à remarquer que bien que cette technique de méditation ait sa source dans le bouddhisme japonais et soit lié à une philosophie orientaliste de l'existence, elle s'adapte parfaitement à toutes les opinions philosophiques ou religieuses ; le za-zen est une technique, pas une religion. Des religieux et religieuses de tous ordres la pratique aussi bien que ceux qui se disent athées. Les psychiatres et les sophrologues contemporains (tels que le Professeur Caycedo de l'université de Barcelone) l'étudient avec soin à l'aide d'électro-encéphalogrammes pratiqués avant, pendant et après la méditation ; les résultats sont étonnants et prouvent l'action réelle de ces techniques millénaires sur la psyché humaine.

Pour commencer, vous allez décider d'un moment précis de la journée, au réveil ou au coucher, que vous consacrerez à cet exercice. Dans un endroit calme (par la suite vous pourrez le faire n'importe où en l'adaptant !), vous allez vous asseoir confortablement, la colonne vertébrale et la tête droite ; si vous pouvez vous mettre en lotus, très bien : c'est la posture traditionnelle. Mais vous pouvez aussi vous asseoir par terre « en tailleur », les jambes croisées, ou tout simplement sur une chaise à condition de vous tenir bien droit. Vous allez poser vos mains sur vos genoux, en les laissant décontractées, paumes en l'air. (La posture traditionnelle demande de placer la main gauche paume en l'air sur la paume de la main droite en faisant se joindre les deux pouces à leur extrémité !). Durant cette « méditation », il vous faut garder les yeux ouverts, fixés par exemple sur un mur en face de vous, ou sur un point du sol à deux ou trois mètres ; ceci pour éviter un trop grand vagabondage de vos pensées... ou de vous endormir ! Vous allez alors tenter de « faire le vide » à l'intérieur de votre mental ; pour cela, prenez patience : en général le résultat ne s'obtient pas en un jour ; malgré l'apparente difficulté et même s'il vous semble que votre cerveau devient systématiquement un champ de bataille où affluent en désordre les idées les plus hétéroclites et disparates que vous ayez jamais eues, précisément au moment où vous vous étiez installé calmement pour « faire le vide », ne perdez pas courage : cela est tout à fait normal. Ne cherchez pas alors à réprimer vos pensées ; simplement, regardez-les passer comme s'il s'agissait d'un ballon emporté par le vent : ne vous laissez pas prendre aux apparences et ne sautez pas après la première pensée tentatrice venue exprès pour capter votre attention et vous distraire ! Laissez passer... comme des nuages. Vous devez par contre vous efforcez d'ouvrir grandes vos oreilles, d'être tout odorat, toutes antennes dehors, de percevoir le maximum de choses : l'oiseau qui chante, bruit d'une voiture, parfum de l'herbe... ou odeur de cuisine ! Pas de sélection ! La seule chose importante, c'est d'être *présent* le plus possible à la minute vécue. Durant l'exercice, vous ne devez vous préoccuper de rien d'autre que de l'instant, « l'ici et maintenant », sans souvenir du passé, sans projection dans l'avenir. Vous devez en arriver à vous identifier à la vie autour de vous : vous sentir vraiment ÈTRE avec ce qui vous entoure. Restez ainsi aussi longtemps que vous le pouvez ou le désirez, en moyenne un quart d'heure à une heure. Vous allez aussi essayer d'adapter cette attitude mentale de présence effective à la vie, à chacun de vos actes, à tout ce que vous entreprendrez cette semaine.

Ainsi lorsque vous conduirez votre voiture, soyez seulement présent à votre volant, les sens larges ouverts à tout ce qui vous entoure. Développez votre sens de l'observation et apprenez à remarquer le moindre détail. C'est là un travail en solitude qui vous permettra vite de vous sentir beaucoup mieux dans votre peau parce que vous apprendrez ainsi tout naturellement à vous situer dans le monde qui vous entoure.

3) **Étendez l'observation de vous-même à ce qui vous entoure.**

Durant la première semaine, vous vous étiez concentré principalement sur vous-même pour vous observer, et cela déjà a porté ses fruits en vous prouvant que souvent le prétexte de vos réactions de timidité était fort anodin et se résolvait à peu de choses auxquelles nous nous attaquerons d'ailleurs progressivement.

Cette semaine donc, efforcez-vous de continuer à être votre propre observateur, mais devenez aussi présent à la fois à vous-même et au monde qui vous entoure.

Vous verrez ainsi votre efficacité augmenter soudainement ; dans tous les domaines, vous allez acquérir progressivement une maîtrise de vous-même et une augmentation très effective de vos capacités que tous autour de vous remarqueront vite, et qui effacera très vite ce sentiment tenace d'infériorité qui vous rongeait.

4) Vivez le présent : « ici et maintenant ».

Vous allez aussi constater, dès le premier essai, qu'en fait tout le monde ou presque vit dans le passé en ruminant réussites ou échecs, souvenirs heureux ou malheureux ; ou encore dans le futur en échaffaudant des projets à court ou long terme, en projetant aussi les craintes d'un moment difficile ou en anticipant une joie promise. C'est ainsi que vous vous voyez entouré d'un tas de gens auxquels vous prêtiez toutes sortes d'intentions à votre égard, et qui en fait ne sont pratiquement jamais *là* dans le présent mais perdus dans leurs rêves.

Or à quoi sert-il, dites-le moi, de ressasser un passé qui ne peut ressurgir ou de toujours se perdre en hypothèses sur un futur aux multiples possibilités... en oubliant toujours le présent ? Ce que l'on vit, c'est le présent, lui seul compte : le passé est mort, le futur ne vit pas encore. Cessez d'être un robot, vivez, mais avec intensité, à fond, le moment présent. En ce moment, vous lisez ces lignes ; à quoi sert-il de garder à l'arrière-plan de votre conscience ce que vous allez faire après avoir terminé cette page ou ce chapitre, ou de ressasser votre dernière mésaventure du matin ? Non seulement c'est inutile, de l'énergie gachée, mais cela empêche aussi de prendre du présent tout ce qu'il vous offre. Il est prouvé que l'inattention est une des causes les plus fréquentes d'accidents, que ce soit au volant d'une voiture ou dans n'importe quelle activité. De même, si dans votre travail quel qu'il soit, vous apprenez à vous intégrer au présent immédiat, ce travail sera tout-à-coup d'une qualité très supérieure ; vous accomplirez le geste juste, direz le mot qu'il faut d'une manière naturelle qui vous surprendra. Vous vous ferez ainsi d'ailleurs très vite remarquer... eh bien rassurez-vous, ce qui aidera beaucoup à votre réajustement intérieur. Et vous apprendrez la décontraction, la relaxation véritable née d'un mental au repos et concentré sur ce qu'il fait. De timidité, il ne sera déjà plus question depuis longtemps lorsque vous aurez fait réellement vôtre cette attitude intérieure ; vous aurez de surcroît gagné beaucoup en libérant vos multiples possibilités du carcan étroit où vous les aviez enfermées puis pratiquement oubliées.

5) **Rôle joué par l'imagination.**

Cela nous mène à l'un des grands problèmes de base du timide, que vous avez d'ailleurs mis à jour durant l'observation de vous-même pratiquée durant la première semaine : l'imagination.

Une attention pleinement « présente au Présent » produit la « convergence de toutes les énergies psychiques dans la momentanéité de chaque instant », alors qu'à l'ordinaire ces énergies sont éparpillées ce qui laisse place à toutes les folles randonnées de l'imagination. Il est à remarquer que ces activités imaginatives sont en général plus négatives que positives. Ce sont elles qui vous font projeter sur autrui toutes les critiques, tous les jugements que vous craignez qu'ils vous portent (oh ! complexité de l'être humain !), alors qu'en fait ils sont coincés entre leur passé et leur avenir, et n'ont peut-être qu'à peine remarqué votre présence... ce qu'au fond vous n'aimez pas non plus puisque vous cherchez quand même en général à vous faire remarquer, mais bien, car vous avez dans une large mesure besoin de l'approbation des autres. Cela aussi passera tout seul, dès que vous en serez arrivé à avoir une estime suffisante de vous-même qui vous dispensera de toujours vous en remettre à ce que pense autrui.

6) **Rôle néfaste du processus de comparaison : la compétition.**

Parmi les activités négatives de l'imagination, il faut souligner l'importance trop fréquente du processus de la comparaison. La vie mentale de la grande majorité du genre humain est peuplée des images sans cesse répétées que nous avons de nous-même par rapport à d'autres plus ou moins beaux, plus ou moins intelligents, plus ou moins riches, etc... De ce climat imaginatif malsain naissent la jalousie, l'envie, l'esprit de compétition, tout ce qui mène aux petites mesquineries quotidiennes. Cela suffit souvent à nous faire nous perdre de vue au beau milieu de tout ce fatras et donc à accorder une importance fort exagérée à ces éléments de comparaison. Cette compétition devient l'objet de toutes les pensées, même inconsciemment ; et comme on est obligatoirement perdant sur de nombreux points, pour la plupart d'ailleurs indignes de l'intérêt qu'on leur porte (exemple : « ses robes sont toujours si jolies, quelle chance elle a ! », alors que cela vous est aussi accessible à moindre frais si vous savez vous y prendre), il est très facile de tomber dans le découragement et de se trouver une excuse envers soi-même de ses propres déficiences en prétextant une qualité géniale chez l'autre par exemple, ce qui évite l'effort de la compétition... en ne laissant que le sentiment d'infériorité bien installé au fond de la conscience et prêt à exercer ses ravages à la première occasion.

C'est ainsi que j'ai connu un jeune homme fort timide, doux et affable, que j'eus l'occasion de voir entrer un jour dans une colère terrible sous un prétexte futile : de toute évidence il avait tort, pourtant ce jour-là il s'accrochait à son argumentation comme à une planche de salut, ne voulait rien entendre et en devenait même grossier, ce dont nous ne l'aurions jamais cru capable. Tout ce que son habituel comportement de timide refoulait, réprimait sans cesse, tout cela était sorti brutalement comme un coup de tonnerre dans un ciel serein, lui faisant accumuler en cinq minutes plus de gaffes qu'il n'avait craint en commettre durant toute l'année précédente.

Un timide de cette espèce non seulement ne sait pas mettre en valeur ses très réelles qualités, mais en plus il arrive toujours un moment où il fait tout ce qu'il faut pour se discréditer totalement. Pour les amis ce n'est pas grave, mais quand cela se passe devant son patron au bureau...! Après quoi notre incorrigible gaffeur, remis en quelques minutes de son explosion, se réveille pour contempler les dégats et y trouver de nouvelles bonnes raisons de se plaindre de lui-même. Il aurait été plus efficace de comprendre la vraie raison de cette perte de contrôle afin de pouvoir éviter que le désastre ne se reproduise un jour.

J'espère que vous avez bien analysé en vous-même ce phénomène d'accumulation provoqué par les débordements quasi continuels de l'imagination et que vous saurez alors trouver vos moyens personnels de freinage, afin de réaliser peu à peu un fonctionnement de la pensée plus harmonieux, plus paisible, qui générera les conditions d'un bonheur durable dans votre vie et celle de vos proches.

S'il vous sera nécessaire, au début, de procéder à un réajustement continuel de vos pensées, peu à peu cependant vous parviendrez à vous dégager de l'emprise de l'imagination ; vous pourrez alors, chaque jour un peu mieux, concentrer votre attention sur le moment présent afin de le vivre correctement, intensément et de manière adéquate.

Je ne résiste pas au plaisir de vous raconter l'anecdote suivante rapportée par Robert Linssen dans son livre « La méditation véritable ». Les élèves d'un Dojo Zen demandèrent un jour à leur maître comment il était parvenu à l'Éveil intérieur. À leur grand étonnement sa réponse fut que tout simplement il mangeait quand il avait faim et se reposait quand il était fatigué. Et il ajouta en guise d'explication, qu'eux-mêmes lorsqu'ils avaient faim « ne mangeaient pas complètement » car en fait ils avaient l'esprit ailleurs ; de même lorsqu'ils se reposaient, leur mental était plus agité que jamais, occupé à revivre les minutes agréables d'un passé proche ou lointain, ou à anticiper avec anxiété une expérience douloureuse qui les attendait dans l'avenir...

7) Utilisez les mots-clés.
En conclusion de tout ceci, que le mot-clé de cette semaine (et pourquoi pas de votre existence toute entière !) soit : être présent, vivre ici et maintenant, être à ce que l'on fait...

Le développement de la conscience attentive et la réduction du rôle de l'imagination vagabonde ne va plus guère laisser de place à des réactions de timidité. Par la suite, nous entrerons dans les petits détails restants à éliminer, et vous verrez que cela se fera tout seul, sans problème.

Pour vous aider dans l'exercice important de cette semaine, vous pourriez écrire les mots-clés ci-dessus sur deux petits cartons : l'un fixé en face de votre lit et l'autre gardé dans votre poche durant la journée. Dans les moments où il vous semble pouvoir maîtriser le mieux votre mental, lisez-les tranquillement, à haute voix si vous le pouvez, plusieurs fois de suite. Faites-le une dizaine de fois au lever et au coucher ; parlez (même mentalement) avec fermeté et assurance, avec la ferme résolution de mettre ces préceptes en pratique le mieux possible, et en vous imaginant y être parvenu. C'est de l'auto-suggestion, et je puis vous assurer que c'est très efficace lorsque la suggestion est pratiquée en accord avec les efforts de la journée. Tout le monde aime à répéter que la pensée est créatrice, et cela est vrai. Alors, mettez toutes les chances de votre côté, et re-créez-vous vous-même comme vous le désirez par vos propres pensées harmonieusement dirigées.

Chapitre IV

LA MAÎTRISE DE SOI

1) **Faites votre bilan.**

Durant cette nouvelle semaine, vous allez poursuivre avec soin les exercices donnés précédemment. Vous avez certainement déjà remarqué que votre sens de l'observation s'aiguisait et votre effort pour être plus présent à ce que vous faites a déjà porté quelques fruits. Prenez quelques minutes, maintenant, pour constater les résultats positifs. Usez de la maîtrise mentale que vous commencez à développer en vous pour chasser toute pensée négative : ne laissez surtout pas prise à la moindre trace de découragement quant à la plus ou moins grande réussite que vous attribuez à la pratique de vos exercices. Ne vous crispez pas et ne soyez pas tyrannique avec vous-même. Vous ne pouvez de toute évidence pas accomplir à la perfection, tant s'en faut, des exercices que d'autres s'efforcent de réussir toute leur vie durant. Ce n'est d'ailleurs pas cela qui compte en ce moment. Ne perdez pas de vue le but précis actuel qui est de vous débarasser de toute trace de timidité et de manque de confiance en vous-même.

Considérez donc, pendant quelques instants, le bilan positif de votre travail. Comparez honnêtement ce que vous êtes maintenant avec ce que vous étiez avant d'entreprendre cette étude, sur les points suivants :

— Avez-vous l'impression de vous mieux connaître ?

— Pouvez-vous à présent citer rapidement les principales racines de votre timidité ?

— Vous sentez-vous toujours aussi intimidé en présence d'autres personnes ? (Le progrès en ce domaine doit être très net : s'il ne l'est pas, êtes-vous sûr d'y avoir travaillé comme je vous l'avais demandé ?)

— Parvenez-vous à mieux contrôler votre imagination ?

— Cela vous permet-il déjà de manifester moins d'appréhension pour certains événements ? (C'est un point plus délicat pour lequel il vous faut être patient et persévérant).

— Avez-vous l'impression de mieux percevoir les autres, leurs motivations, leurs états de conscience ?

— Les autres vous font-ils déjà moins peur ? Les connaissant mieux « par l'intérieur », de par une étude personnelle au lieu de vous contenter de résultats trouvés dans un livre (c'est pourquoi, au risque de paraître trop abstraite, je préfère me contenter de baliser votre chemin afin de vous laisser le bénéfice de vos découvertes !), vous devez déjà certainement constater que vous les craignez moins. Avez-vous remarqué, par exemple, que ce collègue hargneux, toujours prêt à écraser quelqu'un de son mépris et de sa force était en fait bien plus fragile que vous et cachait son manque de confiance en lui-même sous un masque d'autorité ridicule ? En ce cas, ses sautes d'humeur vous font déjà rire, vous vous sentez plus adapté au monde que lui... et il ne vous intimide plus parce que vous l'avez situé à sa place exacte dans la nouvelle hiérarchie que vous commencez à établir en votre esprit.

— Avez-vous remarqué que vous êtes moins maladroit ? Plus concentré sur ce que vous faites, vous le faites beaucoup mieux et surtout vous y trouvez un plaisir inattendu.

— Ne vous sentez-vous pas déjà plus heureux et le monde autour de vous ne se colore-t-il pas peu à peu de teintes plus douces ? Ne constatez-vous pas déjà un goût de plus en plus prononcé pour la vie ? Au fond, vous savez déjà très bien que vous y prenez goût et que très bientôt vous allez la dévorer à belles dents pour rattraper votre « retard ». Vous sentez que la vie est merveilleuse. Bientôt, fort de votre victoire sur vous-même, vous allez même accueillir les obstacles avec intérêt, comme un défi renouvelé avec vous-même, ce qui vous donnera les meilleures chances de vaincre. Mais le travail d'élargissement de la conscience que vous avez effectué vous permettra d'affronter les difficultés avec beaucoup plus de sagesse et même une capacité accrue de pré-cognition vous donnant les moyens de « flairer le vent » et de prendre en temps voulu les mesures nécessaires. De toute façon, l'échec ou la réussite prendront à vos yeux une valeur différente de celle que vous leur accordiez jusqu'à ce jour, et rien ne pourra plus vous décourager profondément : vous serez alors vraiment un être humain libre, capable de se réaliser et de s'assumer en dépit de tous les barrages mis en travers de sa route, et peut-être surtout *grâce* à ces barrages qui sont à considérer comme autant d'examens de passage et de moyens de se situer par rapport aux autres et par rapport à soi-même.

2) **Libérez-vous en écrivant.**

C'est aussi le moment de compléter votre première analyse ; peut-être avez-vous remarqué tout-à-coup d'autres points importants ? Notez-les, afin d'en libérer votre esprit. Il vous faut écrire tout ce qui vous importune sur un carnet réservé à cet effet. Remarquez-vous une habitude néfaste, ou êtes-vous furieux d'une maladresse commise aujourd'hui ? Inscrivez-le dès que vous le pouvez, en quelques mots, avec honnêteté et sans vous faire de cinéma : vous seul aurez jamais connaissance de ce carnet, donc ne vous gênez pas. Écrivez vos regrets, vos rancoeurs contre les autres ou contre vous-même. Et après tout si vous avez un soir de cafard vraiment envie de vous prendre pour un héros de roman, de vous faire plaindre, de vous considérer comme l'homme le plus misérable de la terre, eh bien, à vos plumes, et soyez aussi lyrique que votre état intérieur ou la situation peut l'exiger.

Je me souviens de nuits passées à pleurer sur mon triste sort en noircissant page après page. C'était durant la période fort troublée de mes vingt à vingt-cinq ans, et il faut reconnaître que j'avais alors à affronter des situations peu réjouissantes pour lesquelles je n'étais guère armée. En jeune femme romantique, j'en profitais aussitôt pour me poser en héroïne d'un drame cornélien revu par Delly, et le spectacle était quasi permanent à mon cinéma intérieur. J'en arrivai à perdre contact avec la réalité et il arriva ce qui devait arriver : une bonne dépression nerveuse ! C'est alors que me vint le besoin d'écrire, de me libérer sur le papier, puisque ce n'était pas possible autrement, de tout ce qui m'oppressait et m'empêchait de repartir à neuf chaque matin. Je me souviens au début, avoir passé des heures à transcrire tout cela ; par la suite, quelques minutes par jour suffirent en cas de problème. Mais quel soulagement merveilleux ! C'était vraiment vider un abcès de sa substance et la jeter ailleurs, en l'occurence sur le papier. Les jours de crise, je n'allais pas me coucher sans avoir fait ce nettoyage et joué sur le cahier de ma grande scène du troisième acte ! Après quoi, je pouvais m'endormir instantanément, sans avoir à ressasser tous les événements dans ma tête PUISQU'ILS ÉTAIENT PORTÉS SUR LE CAHIER qui me servait de « mémoire pour les cas difficiles ». Et le matin, après avoir dormi comme un bébé, je me réveillais fraîche et optimiste, capable d'affronter la situation avec toutes mes facultés. Il m'arrivait alors de relire ce que j'avais écrit la veille, et j'ai *toujours* constaté que tout était bien exagéré, déformé par l'imagination et le désordre émotionnel du moment, au point qu'aucune décision raisonnable n'aurait pû être prise alors ; au lieu de cela, quelques heures plus tard, il était possible de réfléchir et raisonner calmement.

Ce type d'expérience permet aussi de constater qu'au fond, on tient terriblement à ne rien oublier de ses expériences malheureuses : on veut inconsciemment pouvoir s'en remémorer à tout instant les moindres détails, comme si le fait de les oublier faisait courir le risque de se perdre tout entier en route...

Le seul moyen simple d'éliminer au fur et à mesure ces souvenirs inutiles et perturbateurs, c'est vraiment de leur donner une forme sur une feuille de papier. Exprimés, ils perdent presqu'aussitôt leur pouvoir dissolvant sur la personnalité. Conservés jalousement en soi, ils jouent un rôle analogue à celui de ces petits insectes (cirons et autres) qui rongent le bois à l'intérieur sans presque que l'on s'en aperçoive jusqu'au jour où tout tombe en poussière à la simple pression.

N'enfermez donc pas vos ennemis à l'intérieur du camp ; chassez-les dès que possible : exprimez-les (c'est-à-dire, poussez-les dehors !).

Toutes les personnes auxquelles j'ai eu l'occasion de donner ce conseil et qui l'ont suivi, en ont expérimenté l'efficacité immédiate. Alors, n'hésitez pas, écrivez ! Vous serez étonné du résultat.

3) **Ne remettez pas à plus tard : agissez maintenant.**

Une des causes fréquentes de timidité, c'est la crainte de l'échec, le sentiment d'incapacité à faire correctement ce qu'il y a à faire. C'est là un point de première importance.

Or, il est très facile de s'auto-hypnotiser sur des échecs mineurs qui fournissent par la même occasion (il faut bien se l'avouer un jour !) une excuse acceptable à ce laisser-aller naturel que pour la plupart nous portons au fond de nous et qui ne demande qu'une occasion favorable pour se montrer au grand jour. Dire, ou même seulement penser : « Je suis incapable de faire telle ou telle chose ; d'ailleurs cela ne m'intéresse pas ; et que voulez-vous, je suis maladroit (ou désordonné, ou je n'ai pas de chance, etc...), je n'y puis rien ! », toutes ces phrases constituent la trâme d'une auto-suggestion à rebours qui confirme nos mauvaises habitudes. Le pire est peut-être qu'en s'excusant ainsi et en s'apitoyant sur son propre sort, on proclame aux autres que l'on ne mérite en aucun cas leur confiance ; comment en effet avoir confiance en un homme qui, tout en étant conscient de ses faiblesses, ne fait rien pour y remédier et cherche à apitoyer les autres pour se prouver à lui-même que tout cela n'est vraiment pas sa faute et qu'il est seulement né sous une mauvaise étoile. Trop paresseux pour s'aider lui-même, comment pourrait-il être de quelque utilité à d'autres ?

Que l'on prenne seulement moitié autant de peine pour se guérir de ses déficiences que l'on en prend à se convaincre que l'on n'y peut rien, et l'on guérira de ce défaut en un temps relativement court. Tous, nous amenons avec nous en venant au monde une certaine quantité de tous les défauts... et toutes les qualités. Seule diffère la répartition, et c'est laissé à notre libre-arbitre de rétablir l'équilibre là où il n'est pas.

C'est en cela (pour aborder un sujet très controversé de nos jours, mais tant pis !) que l'astrologie véritable (pas celle de la dernière page des journaux) peut nous aider à comprendre : chaque homme possède en effet dans son thème astrologique tous les signes du zodiaque, toutes les planètes, toutes les constellations, toutes les « maisons » (qui indiquent les divers départements de son existence), et donc toutes les caractéristiques, quelles soient positives ou négatives qui sont attribuées à ces éléments divers. Seule varie d'une personne à l'autre la répartition de ces éléments, ce qui fait qu'aucun être humain n'est semblable à un autre. Pourtant tout est là, en potentialité, il ne dépend que de nous de le mettre en oeuvre. La tradition enseigne d'ailleurs depuis l'aube des temps que l'astrologie existe pour éclairer l'homme sur ce qu'il est ainsi que sur les occasions qui lui sont données de se perfectionner. En aucun cas, elle ne recouvre un point de vue statique ; les difficultés marquées par un thème astrologique ne sont là que pour être dépassées, et les bons aspects indiquent les meilleurs moyens de contourner l'obstacle.

À ce sujet, si vous vous intéressez à l'astrologie, étudiez d'un peu plus près votre Saturne : il vous donnera sûrement des indications précises sur votre timidité (fréquemment, des oppositions à Saturne).

Un de mes amis constitue l'exemple frappant de ce qu'il ne faut pas faire. Renfermé, timide, bûté, traînant à la surface du globe un visage d'enterrement et un corps éternellement fatigué (de ne rien faire, je le crains !), il a un air pitoyable et malheureux, qui lui attire d'ailleurs l'aide de ceux qui l'approchent car ils se sentiraient coupables de ne pas le faire ! Bien entendu, il n'a pas de situation, n'écoute aucun avis et refuse formellement la moindre suggestion du style : « Mais tu es parfaitement capable de faire cela ! » Pénétré de son rôle, il lui est devenu vital de se faire plaindre et de se plaindre lui-même, ce qui lui évite tout effort en vue d'une réforme intérieure. Il a au fond de lui-même une peur terrible de voir détruire sa tour d'ivoire de grand martyre, ce qui l'obligerait à s'affronter et à affronter l'existence. Le plus désolant, c'est que ce garçon porte en lui une richesse intérieure bien supérieure à la moyenne ; il est intelligent, et sait aller à l'essence des choses et des êtres grâce à une perception intuitive très affinée. Le gros, le seul vrai problème, c'est qu'il est paresseux, et qu'il semble avoir apporté en venant au monde une aversion profonde pour le travail ordonné et systématique, que ce soit un travail destiné à le faire vivre, ou un travail sur lui-même en vue d'extirper de sa gangue le diamant qu'il porte en lui.

Il est triste de constater que dans des cas aussi extrêmes, seuls les gros coups durs de la vie sont de quelque utilité, obligeant à l'action par nécessité vitale, comme un caneton refusant de suivre sa mère à la mare et qu'il faudrait jeter à l'eau de force pour lui prouver qu'il peut et sait nager.

Le paresseux est toujours un être frustré et malheureux ; la paresse est une véritable cécité psychique, une incapacité à prévoir et saisir ce qui mérite d'attirer l'attention : les leçons de l'expérience. Paresser, flâner, remettre au lendemain, c'est éviter, fuir le travail et donc tout moyen de réussir. Vaincre l'échec est simple, il suffit de s'en donner les moyens. Celui qui « échoue dans tout ce qu'il entreprend »... n'a peut-être jamais vraiment entrepris quelque-chose, découragé à la simple idée d'un léger effort à faire. Mais celui qui au contraire déborde d'une activité désordonnée et fait tout à la hâte sans réfléchir, court à l'échec tout aussi certainement.

« Ce n'est pas l'homme toujours pressé qui réussit, c'est l'homme qui sait concentrer sa pensée et qui apporte dans l'exercice de sa profession ou dans ses affaires, l'ordre, la méthode et l'exactitude ». (Boisson de la Rivière).

Il faut pour commencer s'efforcer de ne faire qu'une seule chose à la fois ; intéressez-vous à ce que vous faites ; cela vous sera grandement facilité par l'exercice donné au chapitre précédent. En effet, le manque d'intérêt est certainement la principale cause des déboires chez la majeure partie des hommes. Quand vous devez travailler, travaillez ; méritez votre salaire, cela vous vaudra l'estime de vous-même ce qui n'est déjà pas si mal ! Reposez-vous quand vous avez choisi de le faire, etc... Préparez, avant de partir le matin, le plan de votre journée ; décidez de ce que vous avez à faire, dans quel ordre, que ce soit une journée de travail ou une journée de vacances : ET FAITES-LE ! Au bout de peu

de temps, vous serez étonné du résultat ; vous constaterez en premier lieu que vous êtes content de vous le
soir, parce que vous avez su remplir convenablement
votre journée. Vous allez même vous sentir beaucoup
moins fatigué, et fier de vous, ce qui vous aidera
beaucoup à poursuivre votre action. Vous allez vous
sentir utile, de plus en plus intégré au monde dans lequel
vous vivez, et cela vous vaudra l'estime des autres.

Une autre grande surprise va être la découverte
que ce que vous faites commence à vous intéresser
davantage. Songez que l'homme est animé d'un esprit
créateur qui a besoin de s'exprimer : en faisant la
vaisselle on *crée* la propreté, ce qui peut être aussi
exaltant, si l'on vit à fond et consciemment le présent,
que de peindre un tableau ou réaliser un objet. Tout acte peut être créateur, et par là même porteur d'énergie,
si l'on sait s'en rendre compte. Pour cela, le secret réside
seulement dans la concentration sur ce que l'on fait, en
empêchant l'imagination de parasiter la conscience avec
le film de ce que l'on pourrait faire d'intéressant si on
n'était pas obligé de rester là. À quoi sert de rêver : il est
un temps pour chaque chose, et mieux vaut bien faire
quelque chose d'apparemment inintéressant que de mal
le faire et risquer des reproches ou d'avoir à le recommencer !

Ce que je vous dis là, je sais que c'est très réel car
je l'ai expérimenté moi-même... de force ! J'étais une
jeune femme résolument féministe : ma mère n'avait
jamais pu me faire toucher une casserole ou me faire
coudre un bouton, ce dont je me serais crue déshonorée.
Lorsque j'attendis mon premier bébé, j'avais à l'avance
décidé qu'il irait à la crèche, qu'en aucun cas je ne serais
une de ces « femmes-au-foyer-qui-gâchent-leur-vie-entre-
les-casseroles-et-les-lessives ». La meilleure chose qui me

soit jamais arrivée se présenta, alors que j'étais enceinte de trois mois, sous la forme d'une voiture qui, après avoir dérapé sur une fine couche de neige tombée tout exprès à ce moment-là, dut me viser soigneusement pour ne pas me manquer dans une rue vide de monde à dix heures du soir en cette fin de novembre froide et humide. Je me retrouvai donc à l'hôpital avec quelques fractures sans gravité et un traumatisme crânien. Moi qui ne vivais pratiquement que de mon activité cérébrale (j'étais professeur) et qui n'avais rien d'une « manuelle », voici que je ne pouvais plus lire sans de très violents maux de tête. Que vouliez-vous faire en telle situation ? Au bout d'une quinzaine de jours d'ennui profond, moi qui ne m'étais jamais ennuyée de ma vie, j'étais prête à faire n'importe quoi ! Pas de lecture, pas de télévision ni de radio en raison des maux de tête, allongée pour plusieurs mois, certainement jusqu'à la naissance du bébé ; lorsqu'on me suggéra de tricoter une layette j'acceptai presqu'avec enthousiasme cette chose qui peu de temps auparavant m'aurait fait frémir d'horreur ! J'appris donc, de même que le crochet et des rudiments de couture... et je découvris que cela pouvait être très amusant de laisser libre cours à sa fantaisie dans la création d'un vêtement. J'appris ainsi beaucoup de choses, de même que pendant les quatre années qui suivirent et durant lesquelles je fus une « femme au foyer » fort heureuse de l'être, toute occupée à découvrir les mille richesses insoupçonnées des humbles activités quotidiennes. Quoi de plus merveilleux aussi que d'être là jour après jour pour accueillir le moindre progrès d'un enfant !

Autant vous dire que j'ai dû bouleverser pratiquement tous mes points de vue... et que je ne le regrette pas ! J'ai appris à vivre intensément chaque minute comme un cadeau, et les jours où ma paresse ou mon inertie naturelle dominent, me laissent au soir un tel goût d'amertume et d'inutilité que je n'ai nulle envie de risquer de recommencer le lendemain.

Combien je vous souhaite ce cadeau de l'intérêt pour toute chose ! N'attendez pas que la vie se charge de vous l'apprendre un peu trop brutalement comme ce fut mon cas...

Sachez que tout présente de l'intérêt quand on s'y connaît un peu. Les ruines romaines vous laissent froid ? Si vous avez la chance d'avoir un ami que le sujet passionne, ses explications éveilleront très vite en vous l'intérêt. Vous n'aimez pas le violon ? Faites l'effort de lire un livre racontant l'histoire du violon, comment· il est construit, les difficultés rencontrées par les violonistes pour tirer le meilleur parti de leur instrument ; écoutez ensuite un concerto de violon, et ce que vous connaîtrez de la technique violonistique suffira à éveiller votre intérêt et... changer votre goût ! Cela peut vous paraître incroyable, et pourtant tous ceux qui en font l'expérience le constatent rapidement.

Mettez-vous donc tout de suite au travail, cultivez en vous l'intérêt pour ce que vous avez à faire, l'ordre, la méthode, l'exactitude ; suivez le programme établi pour votre journée, avec souplesse en vous adaptant aux circonstances nouvelles, mais aussi avec fermeté ; vous serez ainsi de ceux qui ne se bornent pas à attendre la chance (et à se plaindre qu'elle ne vienne pas !), mais qui la cherche, et la trouve !

Commencez par le commencement, avancez pas à pas. Habituez-vous en premier lieu à l'exactitude : levez-vous le matin à l'heure prévue, arrivez à l'heure à votre travail, ne manquez plus vos rendez-vous.

Prouvez-vous à vous-même que vous pouvez ne pas reculer devant une chose désagréable que vous devez faire de toute manière, mettez-vous au défi et faites-la sans retard, au moment voulu. C'est plus facile que vous ne le croyez ; et une fois engagé sur cette voie, j'ai vu plusieurs fois le cas se présenter où les gens s'étaient vraiment pris au jeu et en étaient venus à presque rechercher les situations qu'ils fuyaient peu de temps auparavant, afin de renforcer leur victoire sur eux-mêmes.

Soyez donc toujours exact, et ne remettez jamais à plus tard ce que vous pouvez faire tout de suite. Conservez les mots : « Je le fais maintenant » à l'esprit tout au long de la journée, et agissez en conséquence, qu'il s'agisse de repas, de détente ou de travail. Vous apprendrez ainsi à faire une chose à la fois et chaque chose en son temps.

Mettez en pratique ces conseils : FAITES-LE MAINTENANT !

4) **Contrôle de l'émotivité et de l'impulsivité. Exercice.**

Il est très important d'apprendre à se gouverner, à dériver les tendances impulsives et à se débarasser de l'impatience et de toutes les manifestations incontrôlées qui font que le timide finit par avoir peur de lui-même et de ses propres réactions physiologiques (telles que le rougissement, la pâleur, les tremblements, l'accélération du rythme cardiaque ou la suffocation) ou émotionnelles (colères soudaines, gaucherie, bégaiement ou confusion mentale).

La maîtrise de soi peut fort bien s'acquérir ; si l'on savait de quoi l'on a peur, bien souvent cette peur disparaîtrait tout aussitôt, car elle est là encore alimentée principalement par l'imagination, cette « folle du logis » qui fait tant de ravages chez les timides.

Obéir à une impulsion équivaut à abdiquer à la faculté de choisir : on répond alors passivement à la poussée de l'instinct. Il est bien évident que le calme est nécessaire si l'on veut réfléchir, peser une décision et en prévoir les conséquences avant de s'engager. Or, le timide qui se croit voué à l'échec décide parfois soudainement de « se jeter à l'eau », de tenter une nouvelle fois quelque chose... et après avoir échoué lamentablement une fois encore en tire la conclusion que si la fortune sourit aux audacieux, il n'est jamais du nombre. Et voilà notre timide repartit à remâcher ses défaites en se promettant bien que cette fois-ci « on ne l'y reprendrait plus ! »

Il oublie bien sûr de considérer que s'il avait pris le temps de réfléchir, de peser l'acte à accomplir en le comparant à des situations analogues vécues antérieurement, afin de tirer les leçons du passé, il aurait très certainement évité le désastre au lieu d'agir aveuglément sur la première impulsion.

Il est vrai que bien souvent ce type d'action soudaine et irréfléchie est le fait de ceux qui justement ont beaucoup de mal ordinairement à prendre une décision ; incapables de se décider pour un parti et las du combat, ils optent au hasard pour être libérés de la lutte.

Ce problème est le pendant de l'impulsivité, du côté négatif. Il repose lui aussi sur un manque de discernement et d'analyse, ainsi que sur un manque de maîtrise mentale qui produit l'illusion de ne pouvoir discerner le parti convenable.

Quant à l'émotif, il s'agit d'un « individu dont les réactions vaso-motrices aux excitations extérieures sont exagérées en intensité ou en durée » (Jagot). Et toutes les pertubations d'ordre physiologiques qu'il ressent ne font qu'aggraver la perte d'assurance, ce qui mène droit à la timidité. Bonaparte lui-même se troublait effroyablement en présence d'une femme alors que sur un champ de bataille il disposait de tout son sang-froid et sa présence d'esprit. Fort heureusement, on peut modifier toutes les formes d'émotivité, avec un peu de patience.

Il faut en premier lieu bien se persuader qu'il ne s'agit là nullement d'une infirmité ; bien au contraire, les émotifs sont en général hypersensibles, et cette sensibilité supérieure à la moyenne peut leur ouvrir bien des portes fermées à ceux que rien n'émeut. L'intelligence est plus vaste, supérieure bien souvent ; les tendances artistiques offrent des possibilités d'expression permettant de compenser les inconvénients dûs à cette trop grande sensibilité. Il n'est d'ailleurs nullement question de l'atrophier, mais simplement d'apprendre à la gouverner de sorte qu'elle puisse toujours se trouver sous la domination du psychisme supérieur. Ainsi le calme et la sérénité pourront toujours être rétablis en cas de nécessité.

La recherche du calme exige une culture méthodique et progressive : il faut s'habituer à remplacer l'impulsivité par le jugement et la réflexion, et éviter de laisser s'agiter son subconscient de façon exagérée au moindre choc émotionnel.

Dans ce domaine encore, le contrôle des automatismes est très important, car les impulsifs se laissent emmener par eux ; leurs gestes, leurs mimiques dévoilent à chacun leurs intentions, ce qui ne laisse pas de beaucoup les déservir. Ce contrôle est précédé par la prise de conscience de tous les petits gestes machinaux tels qu'ouvrir une porte ou lacer ses chaussures. Si vous vous êtes appliqué à bien faire le second exercice concernant l'élargissement de la conscience, vous avez déjà dû remarquer que vous deveniez plus conscients de ces gestes quotidiens auxquels vous ne vous attachiez plus depuis pratiquement votre enfance lorsque vous aviez appris à les faire.

Le nouvel exercice de ce chapitre n'est en fait que le prolongement du précédent : vous allez vous habituer à rendre à nouveau conscients tous ces gestes automatiques, afin de les vérifier. Si pour la plupart ils sont corrects, vous vous apercevrez que beaucoup peuvent être modifiés, simplifiés... ou supprimés comme c'est le cas pour les tics ! Essayez donc, pendant quelques temps, de prendre vraiment conscience de la complexité des mouvements merveilleusement coordonnés par votre cerveau qui vous permet à tout moment et sans avoir à y penser d'ouvrir par exemple une porte. Sentez la contraction des divers muscles, des tendons, et essayez de coordonner ces mouvements de la façon la plus harmonieuse possible, de garder la main bien décontractée, libre de toute tension qui constituerait une perte inutile d'énergie nerveuse.

Il n'est bien sûr pas question de pratiquer tout le jour durant cet exercice, car vous y passeriez aisément tout votre temps. Mais faites-le systématiquement au moins une fois par jour, en apprenant à user de gestes justes, précis, harmonieux qui rejailliront sur votre psychisme favorablement en tendant à y installer plus de calme, de souplesse et d'harmonie. Vous finirez ainsi, peu à peu, par transformer radicalement tous vos automatismes, physiques et mentaux ; cette censure vous aidera beaucoup à contrôler votre impulsivité et votre émotivité : pratiquez-la avec persévérance. Par la simple éducation de vos gestes, vous allez devenir maître de vous-même et capable de régulariser tous vos remous émotionnels. Il s'agira là d'une victoire importante qu'il vous sera facile de gagner, pourvu que vous vous mettiez immédiatement au travail.

Commencez donc par prendre conscience du mécanisme qui vous fait actuellement lire ces lignes : sentez le mouvement de vos yeux, balayant la ligne de gauche à droite, s'arrêtant, revenant en arrière, avançant par bonds saccadés...

Essayez maintenant de régulariser ce mouvement anarchique qui en fait gêne votre lecture : lentement, mais avec régularité et souplesse, votre regard suit cette ligne ; vous avez buté sur un mot ? Ne vous découragez pas, continuez, apprenez à contrôler par l'exercice de votre volonté les contractions musculaires qui dirigent vos globes occulaires... C'est là un exercice qui peut vous aider à améliorer considérablement votre lecture, vous faisant lire beaucoup plus vite, en assimilant mieux et avec moins d'effort ; c'est l'exercice de base des méthodes de « lecture rapide ».

L'exercice est applicable à tous les mouvements habituellements laissés au seul contrôle de l'habitude. Il portera très vite ses fruits, alors, au travail !

5) Acquisition du sang-froid.

Cette qualité permet de juger sainement des choses et des événements sans se laisser emporter par une émotion quelconque (colère ou enthousiasme irréfléchi) ni impressionner par une circonstance grave ou imprévue. Le sang-froid permet, grâce à une parfaite maîtrise des gestes, du mental et des émotions, de prendre presqu'instantanément la décision adéquate et de la mettre en pratique.

L'attitude de calme intérieur habituelle, la maîtrise de soi et la décontraction permettent la manifestation du sang-froid en cas de nécessité.

Ce n'est que lorsque vous avez appris à contrôler régulièrement votre émotivité et vos tendances impulsives que vous pouvez espérer conserver vraiment votre sang-froid lors d'un moment difficile. Vous pouvez vous y entraîner en consacrant quelques instants par jour à concentrer vos forces dans le repos sans les gaspiller : tout d'abord en vous isolant mentalement du monde extérieur et en essayant de suspendre le cours habituel de vos pensées, puis en relâchant tous vos muscles, de sorte que la détente physique et mentale obtenue soit la plus complète possible ; après cela, il vous faut concentrer votre pensée sur une seule idée et vous efforcer de la maintenir seule dans le champ de votre conscience pendant quelques minutes.

Pratiqué le matin au réveil, cet exercice met en parfaite condition pour affronter avec calme la journée nouvelle. Je vous le recommande si vous avez des problèmes pour conserver en toute occasion votre sang-froid !

L'acquisition du sang-froid comporte aussi le contrôle de l'expansivité, qu'elle soit mentale ou gestuelle ; la sobriété de mots et de gestes permet de ne pas laisser filtrer ses impressions au dehors et de conserver une certaine impassibilité en toute situation, menant à l'égalité d'âme qui caractérise toujours l'homme supérieur. Ne vous méprenez pas : il n'est pas question de refouler des sentiments de joie ou d'agressivité, mais d'apprendre à les contenir dans des limites raisonnables, à ne pas les laisser prendre des dimensions exagérées par rapport à leur origine. C'est en fait, apprendre à être honnête avec soi-même en se refusant tout mélodrame !

6) **Cultivez la présence d'esprit.**

Cette faculté manque en général terriblement au timide. Vous voici en présence d'une personne qui vous intimide : les mots vous fuient, vous voilà en train de bégayer, vos gestes deviennent maladroits, vouv vous entendez proférer une réponse que vous jugez inadéquate et, comble de malheur, voici que vous sentez brûler vos joues ! De quoi vouloir disparaître immédiatement au centre de la terre !

La mise en pratique des conseils donnés dans les paragraphes précédents va nous permettre d'instaurer une certaine impassibilité en vous. Surveillez-vous, au cours de la journée, afin de ne rien exprimer des impressions sensorielles que vous recevez : empêchez-vous de sursauter lors d'un bruit soudain ; si vous vous blessez, soignez-vous en essayant de ne rien manifester, etc... Gardez votre flegme de la même manière en présence de personnes, quelque soit le ton des paroles qu'on vous adresse. Très vite vous allez constater que la présence des gens, leurs paroles, leurs attitudes vous affectent beaucoup moins. Vous aurez alors commencé à cultiver en vous la présence d'esprit !

Vous allez poursuivre votre effort en choisissant délibérément d'affronter, aussi souvent que vous en aurez l'occasion, la personne devant laquelle vous vous sentez le moins à l'aise.

Avant la rencontre, vous allez analyser les raisons de votre embarras : de toute façon elles sont beaucoup moins graves qu'il n'y paraît, et vous le savez.

Imaginez-vous devant cette personne : vous êtes à l'aise, vous vous exprimez correctement et dites ce que vous avez à dire avec calme ; si elle s'emporte, vous restez décontracté et patient ; c'est vous maintenant, qui menez le jeu. Au cours de l'entretien, vous vous efforcez de garder votre impassibilité, et de vous exprimer calmement en soutenant jusqu'au bout votre point de vue. Votre « ancien adversaire » sentira tout de suite la différence et tentera peut être à nouveau de vous intimider : même si vous l'êtes, ne le laissez pas paraître ; cette réaction inhabituelle va le déconcerter et lors de votre prochaine rencontre, vous aurez certainement devant vous quelqu'un de plus mesuré. Vous-même vous sentirez plus fort et la victoire sera bien proche !

Peu à peu, vous vous sentirez plus à l'aise, moins crispé, et vous commencerez à savoir tirer d'une circonstance ou d'un événement imprévu tout le parti possible. avec le discernement qui caractérise la présence d'esprit. Elle est le fruit de la capacité à s'adapter de manière adéquate à toute situation imprévue. Grâce à elle, vous saurez ce qu'il faut dire et ne pas dire et... jusqu'où ne pas aller trop loin !

Pour la développer, exercez-vous à découvrir rapidement les avantages et les inconvénients d'une attitude, afin de pouvoir juger de ce qu'il est opportun ou inopportun de faire ou de dire.

Vous allez apprendre ainsi à éviter ces fameuses « gaffes » qui vous font si peur, et à vous attirer au contraire la sympathie grâce à votre attitude harmonieuse et pleine de tact. Vous le pouvez vraiment ; vous êtes déjà tout prêt de ce but !

7) **Trucs contre le trac.**

Le trac est une crise aiguë de timidité. Tous ceux

qui, par profession ou occasionnellement, sont appelés à paraître devant un public, subissent presque fatalement cette angoisse de manière plus ou moins caractérisée. Il y a différentes sortes de trac : celui des artistes, des conférenciers, des professeurs, des candidats aux examens, etc...

Pour mettre en oeuvre efficacement les multiples procédés permettant de lutter contre le trac envahissant dont nous avons tous fait l'expérience un jour ou l'autre, la condition primordiale est de concentrer l'attention comme il est indiqué dans la cinquième partie de ce chapitre. Ensuite seulement vous pourrez choisir la technique qui vous convient le mieux.

En voici quelques exemples :

— Lorsque l'angoisse s'empare de vous, il faut aussitôt vous détendre et respirer lentement et profondément en vous efforçant de concentrer votre pensée sur votre rythme cardiaque ; vous vous dites mentalement : « Je suis calme et maître de moi ; mon rythme cardiaque se régularise peu à peu et le calme m'envahit ».

— Dans tous les cas, les respirations profondes faites en concentrant votre pensée exclusivement sur cet acte vous aideront à obtenir rapidement le calme nécessaire lorsque vous avez à affronter une émotion violente.

— Si vous appréhendez fortement une action quelconque que vous savez devoir accomplir dans un futur proche (par exemple un examen ayant lieu le lendemain ou une rencontre, etc...), imposez-vous une occupation matérielle précise qui puisse, en dérivant le flot de votre imagination, vous empêcher de vous épuiser nerveusement à l'avance et de déformer en l'aggravant la situation difficile qu'il vous faudra vivre.

— Si possible, retirez-vous au calme quelques instants ; allongez-vous, fermez les yeux, détendez-vous en respirant profondément et rythmiquement (respiration complète : thoracique et abdominale qui masse les intestins, le foie et l'estomac par les mouvements amples et réguliers du diaphragme, apportant ainsi une détente et un bien-être physique précurseurs du calme mental). Représentez-vous maintenant la scène que vous aurez à vivre, imaginez le pire qui puisse se produire tout en vous regardant rester impassible, parfaitement maître de vous-même et réagissant avec sang-froid et présence d'esprit. Laissez-vous bien pénétrer par cette scène, en vous disant que vous pouvez réellement la vivre de cette façon, vous donnant ainsi toutes les chances de réussite ainsi que le moyen de vous tirer à moindre mal d'un échec toujours envisageable... et qui n'empêchera pas le monde de tourner. Je me souviens de ce que me répétait une vieille amie de ma famille, professeur de lettres, lorsqu'enfant puis adolescente je croyais mourir d'appréhension au moment des examens ou lors de toute situation difficile ; elle me disait alors : « Le pis qui puisse arriver, c'est que tu échoues ! Et alors, que crois-tu que tu en penseras dans vingt ans, ou seulement dix ans ? Tu auras certainement oublié l'incident, et de toute manière il ne t'aura pas empêché de vivre ! » Je vous livre ce conseil qui depuis me fut d'un grand secours dans ma lutte personnelle contre la timidité. En cas de difficulté, remémorez-vous cette réflexion ; elle vous aidera à remettre les choses à leur place et à leur rendre leur véritable importance.

— C'est au niveau du plexus solaire qu'agit principalement la crispation. Pour le décontracter, massez-le fermement avec le poing fermé pendant quelques instants.

— Pour vous libérez de la tension nerveuse mais aussi musculaire, effectuez des contractions volontaires des muscles : commencez par les jambes, contractez-les au maximum puis relâchez ; opérez de même avec les bras en serrant fortement vos mains l'une contre l'autre puis détendez-vous ; quant à votre visage, étirez-le au maximum par un sourire forcé et relâchez. Essayez de maintenir quelques secondes durant chacune de ces tensions. Recommencez plusieurs fois chaque exercice ; vous sentirez peu à peu le bien-être et le calme physique vous envahir, ce qui ne manquera pas de rejaillir sur le plan émotionnel et mental.

— Toujours pour décontracter le plexus solaire : respirez profondément en vous tenant bien droit ; concentrez-vous sur votre respiration en éliminant pour quelques instants toute idée parasite. Placez ensuite sur votre plexus solaire la pointe du pouce, de l'index et du majeur de la main gauche disposés en triangle, pointe en haut : chaque doigt est espacé de quelques centimètres des autres et l'index forme la pointe supérieure du triangle. Vous effectuez ainsi sur vous-même une auto-magnétisation efficace instantanément.

— La veille du jour où vous devez subir un examen, paraître en public, faire une conférence, etc..., vous pouvez essayer ce léger traitement homoeopathique :
« Gelsemium sempervirens 5 CH »
« Argentum nitricum 5 CH »
Prendre deux granulés de chaque tube que vous laisserez fondre sous la langue deux fois dans la journée. Renouvellez la prise le jour de l'épreuve. Vous pouvez ajouter :
« Acidum Phosphoricum composé »
deux granulés deux fois par jour quelques jours avant l'épreuve et le jour même. Si vous ressentez une constriction de la gorge, avec sensation de boule, vous ajoutez « Ignatia Amara 5 CH », deux granulés une fois

par jour. Il ne s'agit là, bien entendu, que d'une aide toute momentanée en cas de réelle nécessité avant que vous n'ayez maîtrisé totalement votre timidité. Comme disait un de mes vieux amis en envoyant au diable tous les remèdes qu'ils soient allopathiques, homéopathiques ou naturopathiques (tisanes et autres...) : « Tout ça, c'est de la poudre de perlinpinpin » pour te faire oublier que tu es le maître chez toi, de tes microbes comme de tes émotions ! Apprend à te gouverner toi-même et tu n'auras plus besoin de t'en remettre à choses-là... » Je crois qu'il avait raison. Qu'en pensez-vous ?

Chapitre V

L'AUTO-SUGGESTION

1) Suggestions négatives.

Nous avons vu que dans bien des cas, ce sont les mauvaises habitudes mentales qui provoquent ou amplifient les réactions timides. Il a suffi qu'une seule fois vous soyez intimidé par une certaine personne pour que le trac s'empare de vous chaque fois que vous la rencontrez, ce qui n'est dû qu'à une auto-suggestion inconsciente de votre part mais efficace. De même, il suffit d'un seul « traqueur » pour faire perdre toute contenance à une bonne dizaine de personnes se préparant calmement à affronter un jury ou un public (comédiens, artistes...). Imaginez la scène une minute avec moi : notre timide arrive, pâle, tremblant ; les autres sont calmes et détendus, ils sont sûrs d'eux et se sentent prêts ; et le voilà, marchant nerveusement de groupe en groupe : « J'ai un trac terrible ; sentez mes mains comme elles sont froides... J'ai oublié mon texte ! Mon Dieu, comment cela va t'il se passer ?... Comment faites-vous pour rester aussi calmes ? Vous n'avez pas peur ?... » Voilà maintenant que ma bouche est sèche, comment vais-je parler ?... » Les suggestions de trac, d'amnésie, de tremblements et autres manifestations ne manquent *jamais* leur but, et vous pouvez être sûr qu'en moins d'un quart d'heure il va régner dans la salle une atmosphère d'angoisse à laquelle n'échapperont pas les plus assurés. C'est pourquoi ce type de personne est terriblement redouté des habitués de la scène... et des professeurs lors des examens de leurs élèves, car la panique qui s'empare du groupe peut fausser tous les résultats. C'est ainsi que le bon élève peut être recalé, ayant oublié tout ce qu'il savait au moment critique, tandis qu'un élève médiocre, insensible à la timidité et qui de plus n'a rien à perdre puisque de toutes manières il se moque d'un résultat auquel il n'a pas travaillé, saura mobiliser toutes ses énergies pendant les quelques minutes ou heures nécessaires... et réussira peut-être !

Il s'agit là bien sûr de suggestions négatives, et votre travail au cours de cette nouvelle approche sera double :

— d'une part, il vous faudra prendre conscience de toutes les suggestions négatives que vous recevez de l'extérieur ou de vous-même, afin d'apprendre à les rendre inefficaces et à les empêcher de naître,

— d'autre part, vous allez commencer à mettre en pratique, avec persuasion et persévérance, les formules d'auto-suggestion que vous aurez choisies comme étant les mieux adaptées à vos problèmes.

Nous allons ensemble maintenant analyser un peu ce programme nouveau.

2) **Mécanisme de la suggestion.**

Le cerveau, avec le système nerveux, est l'organe de l'esprit et l'agent grâce auquel nous sommes reliés à deux mondes : celui qui se trouve en dehors de nous, et celui qui est en nous autrement dit : le monde de la pensée, de la conscience, de la sub- ou supra-conscience. Or ce monde en nous, le MOI, comprend des possibilités infinies dont on ne commence qu'entrevoir une parcelle grâce aux travaux actuels de la parapsychologie. Il est bien connu que seul le dixième du cerveau fonctionne régulièrement chez la grande majorité des individus. On peut à peine concevoir les possibilités immenses dont disposerait un homme dont le système cérébral serait actif à cent pour cent ; peut être n'y croirait-on pas, et le considérerait-on comme un être totalement à part, venu d'une autre galaxie probablement, et doué de pouvoirs surnaturels que l'on n'attribue pas même encore à nos divinités !

Pourtant, il faut compter avec tous ces « pouvoirs cachés », qui se désoccultent d'ailleurs à l'heure actuelle à une vitesse laissant présager que les temps approchent où l'homme ouvrira la porte encore close de son esprit à l'une des sections interdites de son cerveau. Si à l'heure actuelle, il y a de plus en plus de personnes « PSI », c'est-à-dire douées de perceptions extra-sensorielles, cela laisse à présager pour bientôt une généralisation de plus en plus large du phénomène qui élargira à un point extraordinaire nos perceptions, nos connaissances, et notre manière d'être et d'agir.

Quant à la subtile, mais très réelle relation existant entre l'esprit et le cerveau, elle est maintenant bien admise par la science et pratiquée, au point de vue thérapeutique, sous l'appellation de « médecine psychosomatique » (de « soma » = corps et « psyché » = esprit). Nul ne sait encore vraiment à l'heure actuelle comment cela fonctionne, malgré les grands discours que peuvent improviser les spécialistes sur ce sujet délicat ; ils en restent encore à l'analyse et à l'« explication » des phénomènes d'ordre chimique, électromagnétique ou ondulatoire. Ce qui se passe réellement au moment où une vibration est transformée en pensée consciente (et où se produit cette mutation ?), nous reste totalement inconnu. L'important me direz-vous à juste titre, c'est que cela marche et le reste importe peu. D'accord, mais il faut au minimum prendre conscience de l'endroit où se trouve le commutateur qui nous permet d'agir sur ce mécanisme afin de favoriser ce qui nous convient et d'éliminer au maximum les causes de désordre.

De fait, nous ne savons rien de l'esprit en dehors de ses instruments que sont le système nerveux et le cerveau. Il faut bien comprendre que par cette interrelation profonde entre le cerveau et l'esprit, chaque pensée, chaque émotion, chaque impulsion, chaque opération de l'esprit, produit des effets immédiats sur la substance cérébrale et l'effet est donc double, à la fois mental et physique. C'est en raison de ce mécanisme que nous pouvons tous constater dans la vie courante que la répétition de certaines pensées procure certaines sensations (par exemple, la pensée d'un gâteau favori amène invariablement l'eau à la bouche en agissant sur le système digestif et parfois sur les facultés olfactives lorsqu'il arrive même d'en percevoir l'odeur), de même que les sensations sont pour nous évocatrices de pensées dont nous sommes conscients. (Ainsi on ne se brûle pas impunément à un fourneau sans que la pensée ne nous parvienne consciemment par la suite d'éviter ce genre de contact). Tout le monde connaît bien ces phénomènes parce qu'ils tissent la trâme de la vie de tous les jours, et pourtant, lorsque l'on parle de suggestion, et spécialement d'auto-suggestion, beaucoup de gens affichent le sourire ironique de celui qui sait bien que tout cela est ridicule au plus haut point. Pourtant, ce qui paraît à certains relever de l'enfantillage et de la crédulité la plus simpliste, touche en fait aux mécanismes les plus profonds et les plus secrets de l'être humain, ceux qui permettent à tous ceux qui les mettent en oeuvre consciencieusement et avec discernement de se transformer radicalement et de devenir peu à peu ce qu'ils désirent être. Pour cela, il ne suffit pas de croire, il faut comprendre, constater ce qui se passe, et fortifié par ce début de connaissance, oeuvrer consciemment et volontairement sur soi-même.

Que font d'autre les religions, les enseignements divers, si ce n'est nous présenter, en répétant sans cesse ces représentations par la lecture des textes sacrés et les rituels, l'image de ce que nous devons désirer être, de ce que nous devons aimer, de ce que nous devons rejeter, l'image enfin de tout ce qui dans notre vie doit être orienté peu à peu vers cet idéal présenté afin de pouvoir un jour y adhérer et le rejoindre. Tout cela relève de la suggestion, dans ce qu'elle a de plus positif et constitue une aide précieuse. Les écoles initiatiques, celles du moins qui pratiquent des rituels d'initiation, suggèrent en fait à l'esprit du candidat, par l'intermédiaire de cérémonies initiatrices bien orchestrées, ce que peut être pour lui la véritable Initiation, celle qu'il vivra un jour (ou peut-être le jour même) dans les plans intérieurs ; une telle cérémonie, toute basée sur l'analogie et le symbolisme, permet à l'esprit de comprendre des messages que la plupart du temps le simple mental ne peut saisir ; l'impression faite sur le cerveau va se manifester sous forme de pensées conscientes dont le candidat ne soupçonnera en certains cas pas l'origine réelle. Tout cela peut, et doit, mener très loin.

Peut-être trouvez-vous que pour notre part nous sommes tout-à-coup à cent lieues de notre sujet, la timidité, et que toutes ces digressions ne servent à rien. Il n'en est rien. Il ne s'agit pas simplement d'appliquer des recettes auxquelles vous croyez plus ou moins en pensant : « on verra bien ! ». Dans ce cas, à cent pour cent en effet vous ne verriez... rien. La science du mental, l'utilisation pratique de l'inter-relation corps-esprit, demande l'étroite adhésion du mental pour se réaliser. Si une méthode basée sur des exercices mentaux n'incite pas votre adhésion confiante (parce que vous en avez compris l'efficacité possible), mieux vaut ne pas l'appliquer. Si vous tentiez quand même l'expérience, il se produirait en vous une sorte de dislocation mentale entre cette partie de votre intellect qui pratique l'exercice dans un but déterminé : réussir, et cette autre qui juge tout cela ridicule et totalement indigne de son statut d'être intelligent ! De la désunion psychique ne peut naître l'épanouissement des facultés nouvelles, c'est évident ; bien au contraire, l'échec subi parce qu'inévitable dans ces conditions, ne pourra que renforcer la méfiance première envers toutes ces méthodes, et donc bloquer un peu plus le psychisme sur l'idée d'échec, d'impossibilité de s'améliorer (« on ne change pas, on est ce qu'on est, etc... »), en agissant sous la forme d'auto-suggestions négatives dangereuses parce qu'inconscientes et refusées par le psychisme.

3) Soyez votre propre maître.

Vous voyez donc l'intérêt réel qu'il y a d'imprimer sur le cerveau des informations acceptables qui vous donneront la possibilité d'appliquer avec fruit la méthode. Vous pourrez ainsi, non seulement vaincre certains aspects résiduels de votre timidité (déjà en forte régression depuis que vous avez commencé à l'affronter), mais encore changer tout ce qui vous déplaît et contribuait en fait aussi à vous rendre timide : volonté mal développée (nous verrons cela ensemble dans un chapitre ultérieur), manque de mémoire, problèmes de concentration, difficultés dans l'étude de certaines matières, mauvaise santé, fatigue, insomnie, modification de certains traits de caractère, suppression d'habitudes mauvaises, développement de vos qualités, etc... Vous êtes un être libre, vous avez votre libre-arbitre. Si vous vous sentez esclave, ce ne peut être que de vous-même. Cela est très important. Toute notre société changerait et l'ère de la Fraternité Universelle serait vite arrivée si chaque homme et chaque femme de la Terre prenait enfin conscience de sa propre liberté et acceptait enfin de s'assumer entièrement.

Songez qu'un timide sait créé tout une échelle de valeurs sur laquelle il place les gens dès qu'il les rencontre : « celui-ci au dessus, donc il m'intimide car j'ai toujours peur qu'il ne me tombe sur le dos » (notez la valeur inconsciente et l'exactitude que revêtent souvent les locutions populaires !) ; celui-là ne vaut pas grand-chose ; enfin quelqu'un qui soit au-dessous de moi ; pour tenter de me prouver à moi-même que j'existe, je vais donc être vis-à-vis de lui le tyran que ceux que j'ai placé au-dessus de moi doivent être... »

Ce genre de raisonnement est souvent inconscient, mais c'est celui de *tous* les timides, parce qu'ils se situent dans un raisonnement basé sur une erreur fondamentale : la compétition, l'inégalité, la poursuite du pouvoir, l'infernale lutte pour la vie ; et pire encore, ils s'identifient à fond à ces images mentales dont ils travestissent les autres. La vision des choses et des êtres en sera complètement déformée, et par conséquent leur propre perception d'eux-mêmes sera faussée. Le seul moyen de revenir à une plus juste vision du monde, c'est de tout revoir, de tout transformer.

J'ai connu autrefois un petit garçon de sept ans affreusement timide. Il se sentait écrasé par sa famille, il avait honte de lui-même au point qu'il n'osait pas parler, qu'il n'entreprenait jamais rien par peur de sa maladresse et d'entendre une nouvelle fois ses parents gémir qu'ils ne feraient jamais rien de lui. Son développement se ressentait bien sûr beaucoup de son attitude d'esprit et il ne grandissait plus guère et voyait sa santé devenir de plus en plus fragile. Bien sûr, plus le temps passait, plus il devenait maladroit... Eh bien j'ai vu plusieurs fois ce petit garçon doux et effacé, se venger de son impuissance devant ses frères humains avec une cruauté froide et raffinée sur tous les animaux incapables de se défendre qu'il pouvait trouver (oiseaux, souris, insectes, etc...) ; il ne s'attaquait généralement pas aux chiens et chats qu'il jugeait encore trop dangereux.

Ce comportement est assez caractéristique : l'exemple en est un cas excessif, bien que plus courant qu'on ne le pense au premier abord. Tous ceux qui s'attaquent à plus faible qu'eux, par la voie d'une cruauté physique ou par le moyen plus détourné d'une quelconque oppression qu'elle soit d'ordre physique, mental, moral ou même spirituel, tous ceux là sont en fait des êtres perdus au sein d'une hiérarchie qu'ils ont eux-mêmes contribué à construire et qu'ils ne peuvent intégrer à la conception innée, que nous portons tous en nous-mêmes, de la réalisation de soi-même, de notre statut d'être humain libre et responsable, membre au même titre que les autres de la Fraternité humaine.

Les différences manifestées au niveau des capacités intellectuelles ou morales, du niveau social, de la beauté physique, etc... sont analogues au fait que dans une foule nous verrons chacun vêtu différemment, plus ou moins bien, avec plus ou moins de recherche ou de négligence, selon ce qu'il aura voulu manifester de lui-même.

Même la situation sociale ne constitue rien d'autre qu'une nécessité d'organisation. Les fourmis ont leurs chefs d'équipe qui orientent et coordonnent l'activité, et reconnus par elles parce qu'ils en ont les qualités ; il n'en reste pas moins que chef d'équipe ou ouvrière, c'est toujours et avant tout une fourmi et que vue à notre niveau, la différence sociale entre les deux catégories n'est pas du tout évidente ; chacune est nécessaire, l'une ne va pas sans l'autre et toutes deux ont droit au même respect. Tout le reste n'est que du cinéma : les « grands » qui n'ont rien compris peuvent en profiter pour se donner une importance qu'ils n'ont pas, tandis que les « petits » tendent à projeter leurs rêves et leurs sentiments d'envie vers les « grands » auxquels ils se soumettent pour se dégager ainsi de leurs responsabilités personnelles. Tout cela est faux, de A jusqu'à Z. La véritable grandeur, c'est de vivre en être libre et responsable, et cela n'a aucun rapport avec la richesse ou le rang. Cela peut parfois coïncider, et dans ce cas l'humanité a la chance de se voir guider en certains domaines par un homme conscient de sa tâche et digne de confiance.

Vous savez, nul n'est esclave parce qu'il obéit à la loi d'un maître. Dans ce cas, le maître est réduit au même esclavage que son esclave, parce qu'il est entré dans le jeu des forces : simplement, il y en a un à chaque extrémité de la corde.

Votre patron a son rôle à jouer dans l'entreprise où vous travaillez et il ne pourrait rien sans vous. Vous êtes indispensables l'un à l'autre. Cela veut dire que vous vous devez autant d'estime l'un que l'autre, si vous remplissez correctement vos fonctions : ni plus ni moins. Si votre patron est un tyran, c'est son problème à lui, pas le vôtre, et il ne tient qu'à vous de ne pas vous laisser influencer par sa tyrannie et ne pas vous laisser impressionner : ayez plutôt pitié de lui qui doit être fort malheureux pour en arriver à ce degré d'autodestruction qui le fait détester de tous ; mais examinez-vous aussi de votre côté, pour être bien sûr que vous ne projetez pas sur lui des idées toutes faites, une image de lui qui vous a été suggérée par d'autres ou par certaines lectures de journaux qui condamnent en bloc et sans discernement tous ceux qui exercent un poste de commande, en les identifiant systématiquement à des autocrates de la pire espèce, idées générées par le désir violent... de prendre leur place, ce qui reviendrait au même fondamentalement. Imaginez votre attitude si vous étiez à la place de cet homme que vous craignez et détestez à la fois ; peut-être certaines de ses attitudes s'éclaireront-elles à vos yeux et le comprenant mieux, vous serez mieux compris de lui et apprécié, car une véritable relation humaine se créera entre vous, sans discours, sans paroles, seulement par l'abolissement d'une barrière que vous aviez vous-même érigée.

De toute manière, vous l'avez déjà bien constaté, il est des ouvriers maîtres de leur vie et d'eux-mêmes, pleins de noblesse et amoureux de leur véritable liberté (qui n'a rien à voir avec l'acceptation consciente de lois qui ne sont là que pour faciliter les rapports entre humains et l'organisation de la vie, rien de plus) ; de même il est des chefs qui vivent en esclaves, d'eux-mêmes et des autres, craintifs, timides, perdus dans un rôle qu'ils ne peuvent assumer...

Soyez donc un homme libre, non pour satisfaire toutes vos passions ou vos désirs (vous ne seriez pas libre mais enchaîné, à ce qu'il y a de plus animal en vous-même !), mais pour sentir votre place parmi les autres humains et vous efforcer de vivre harmonieusement en conséquence, quelles que soient les conditions difficiles dans lesquelles vous pouvez être placé. Vous pourrez d'ailleurs, grâce à cette attitude intérieure, transformer jusqu'à vos conditions matérielles d'existence, pourvu que vous sachiez rester dans une vision harmonieuse des choses et de ce qui semble nécessaire et bon. Et vivant ainsi en harmonie avec les lois naturelles et celles **gouvernant l'évolution humaine, vous verrez les obstacles tomber peu à peu, même si vous ne le cherchiez pas.** Peut-être un jour, « par hasard » (il n'y a pas de hasard dans la nature !) vous proposera-t-on un emploi qui vous conviendra parfaitement, ou bien rencontrerez-vous toujours sur votre chemin la personne susceptible de vous aider dans le domaine où vous en avez justement besoin. Vous vous sentirez alors de plus en plus solidaire de la race humaine, reconnaissant de ces aides reçues « providentiellement » - en fait seulement dues à l'action de l'esprit en vous relié à l'esprit des autres hommes, puisque vous avez aboli les barrières artificielles et illusoires qui vous en séparait auparavant et qui leur avait transmis votre besoin, ce qui inconsciemment mais effectivement les avait poussé vers vous, par des biais parfois si étranges que tout peut alors sembler réellement le fruit de hasards successifs heureux. C'est toute l'histoire des phénomènes se rattachant à la télépathie.

Je vous demande avec insistance de réfléchir, de méditer sur ce que je viens de vous dire. Pensez-y longuement, efforcez-vous d'entendre le message de votre propre esprit : lui seul peut vous dire ce qu'il en est réellement de toutes ces choses et vous guider. Ne vous laissez aller ni à une adhésion passionnée et immédaite, ni au refus systématique qui peut naître de toutes les idées négatives accumulées en vous depuis votre enfance. Restez neutre, dites : c'est possible, et mettez-vous sérieusement au travail afin de déterminer *votre* propre vérité, *votre* propre conception du monde, et la meilleure façon d'envisager votre rôle parmi les hommes, ce que vous voudriez vraiment être, en passant le résultat de vos réflexions sans cesse au crible de votre logique et de votre raison (qui peut fort bien juger « raisonnable » une chose non encore prouvée par la science : ce qui est différent du rationalisme qui rejette en bloc tout ce qui n'est « pas-encore-prouvé matériellement », manifestant ainsi un orgueil relevant de la mégalomanie et de l'inconscience puisque cela sous-entend qu'il ne reste plus rien ou presque à découvrir : certains ont dû le dire déjà au Moyen-Âge ! Aiguisez donc votre discernement, par l'observation impartiale et une attitude intérieure d'ouverture aussi large que possible sur le monde et les idées des autres, si farfelues qu'elles puissent paraître au premier abord. Pensez que dans toute chose réside une parcelle de vérité qu'il faut découvrir par vous-même. Cessez de toujours vous reposer sur le jugement d'autrui, sur l'opinion d'autrui. Au début, si vous n'êtes pas encore solide pour vous jeter seul à l'eau, vous pouvez bien sûr (vous le devez même) tenir compte de ce que disent des personnes sages de votre connaissance, en qui vous avez confiance et qui ne cherchent qu'à vous aider, sans passion ni recherche d'un bénéfice personnel. Elles pourront vous guider sur les chemins de votre recherche, vous orienter parfois, vous montrer où il leur semble que vous commettez des erreurs. La seule chose nécessaire, c'est de ne plus jamais rien « avaler » sans le contrôle de votre discernement, et avec toutes les restrictions qui s'imposent ! L'enseignement le plus élevé, le plus lumineux, ne vous sera d'aucun secours si vous en faites un article de foi ; car n'y adhérant que par un aspect de vous-même, vous encourrez la révolte de votre jugement et de votre raison qui a son mot à dire ; vous pourrez faire taire cette voix, mais vous serez privé d'une partie importante de vous-même et il vous faudra bien un jour la réintégrer sous peine de ne plus pouvoir avancer. En contre partie, tout ne doit pas concerner strictement l'intellect ; l'intuition, cette « sagesse du coeur » comme l'ont appelée certains, a aussi son mot à dire, et de taille. Tout cela doit concorder, et si « le coeur a ses raisons que la raison ne connaît pas », ce ne sont généralement pas de bonnes raisons, à moins que l'on identifie « raison » avec « normes », « lois bien établies », ce qui ne saurait convenir. Tout est logique dans l'univers. À nous de développer suffisamment nos potentialités pour savoir passer derrière le voile de l'illusion (qu'elle soit scientifique, philosophique ou strictement humaine) et voir comment les causes s'enchaînent entre elles.

Pour clore ce long développement, je vous donnerai un exemple illustrant bien ce phénomène.

Imaginez quelqu'un qui caché derrière un voile, passerait les doigts de ses mains au travers de trous pratiqués irrégulièrement dans ce voile et les animerait d'un mouvement quelconque. Imaginez maintenant qu'un être, doué d'un champ visuel très limité, qui ne saurait rien de l'homme, qui ne saurait pas ce qu'est une main ni ce que sont des doigts, soit mené devant ce voile. En premier lieu, il ne verrait pas le voile, croyant qu'il s'agit de l'espace libre devant lui, parce que pour le voir il lui faudrait élargir son champ visuel à une vision globale de la scène où il se meut ; ne voyant pas qu'il y a un voile, il ne verrait que des doigts se mouvant seuls dans l'espace, apparemment sans lien entre eux et d'une manière que sa raison, limitée par ses perceptions étroites, ne pourrait expliquer. Il peut alors inventer des explications, mais il en arrivera toujours à un moment où il ne pourra comprendre. Il se peut aussi que, rendu furieux par tout ces illogisme, il en vienne à nier purement et simplement ce qu'il aura vu (« c'est une hallucination ! ») même si plusieurs de ses congénères avaient vu la même chose, eux aussi (« C'est une hallucination collective » : explication oh combien facile et fréquente, qui clôt les bouches et a le mérite de... ne rien expliquer !). Quelqu'un se présente alors en lui expliquant ce dont il s'agit réellement : s'il est un être sage, il accepte l'explication comme plausible, attendant d'en avoir la preuve personnelle et directe pour y adhérer totalement : pour en arriver là, il va s'efforcer de développer ses moyens de perception jusqu'à pouvoir d'abord *voir* le voile, puis le toucher, puis enfin le soulever, passer derrière, et connaître la cause logique et réelle du phénomène. Il se peut aussi qu'en être frustre et imbus de lui-même, il rejette systématiquement toute explication que lui-même n'aurait pas générée, persuadé que sa science peut tout expliquer ; en ce cas, il continuera à jouer au serpent qui se mord la queue et ne pourra progresser tant qu'il n'aura pas renoncé à cette attitude puérile.

Nous sommes tous mis dans cette situation, et tous nous réagissons alternativement en sages ou en orgueilleux au comportement puéril. Efforçons-nous de surtout laisser la place au sage, afin qu'un jour ce comportement devienne permanent et nous épargne bien des désillusions et des souffrances qui ne nous rencontrent que pour nous faire admettre qu'il faut cesser un jour de toujours buter sur la même pierre, parce que cela fait mal inutilement, et qu'en avançant un peu sur le chemin de l'évolution, cela ne se produirait plus...

4) Pratique de l'autosuggestion.

Le cerveau, comme nous l'avons dit, étant l'organe de l'esprit, les manifestations de celui-ci dépendent étroitement de l'intégrité, de la santé et de la vigueur du cerveau, ainsi que du degré de développement de ses différents centres. Si un organe du corps ou un centre cérébral est faible ou défectueux, cela va retentir naturellement sur nos capacités mentales et notre manière d'être. Mais il est toujours possible, dans une certaine mesure, de cultiver ce centre et de mettre en oeuvre son énergie latente en stimulant aussi les autres centres. Chacun peut, grâce à la pratique de l'hygiène, de la tempérance, de la modération en toutes choses et par le contrôle de ses habitudes et de sa manière de vivre, augmenter et développer la puissance de son cerveau : l'auto-suggestion, dans ce programme, correspond à une gymnastique mentale destinée à fortifier les points faibles et à renforcer les autres.

Le problème est très exactement parallèle à ce qui se passe sur le plan physiologique : par une gymnastique appropriée, on peut fortifier des muscles faibles et manquant de tonicité ; on peut développer certains muscles en particulier, mais les exercices rejaillissent sur l'ensemble dans une certaine mesure. Par contre, si un membre est défectueux, que l'origine en soit congénitale ou acquise à la suite d'une maladie ou d'un accident, il ne sera peut-être pas possible de rendre aux muscles, tendons, nerfs, leur fonctionnement normal, mais l'exercice apportera quand même une amélioration, souvent importante. Cela vaut donc *toujours* la peine de s'atteler à la tâche.

Il y a une différence fondamentale entre l'auto-suggestion et l'hypnose, bien qu'on les confonde parfois dans une certaine mesure. Chez l'hypnotisé, la puissance d'agir est annihilée, elle est passée aux mains d'un étranger. L'effet n'est donc pas toujours durable, et de plus on s'en remet alors entièrement à la volonté de quelqu'un d'autre, ce qui est contraire au résultat auquel on veut aboutir qui est : la plus haute réalisation de soi-même par le développement de ses facultés et de son libre-arbitre.

L'auto-suggestion pour sa part laisse à l'individu la pleine possession de sa puissance d'agir qu'il peut diriger volontairement et consciemment vers le but qu'il s'est fixé à l'avance.

Qu'on se garde malgré tout de prendre cette technique pour ce qu'elle n'est pas. Il ne serait d'aucune utilité de bander ses muscles et dire : « Je veux » ; cela ne constitue qu'une surexcitation nerveuse et non un acte de la volonté. Ainsi, si l'on désire par exemple cesser de fumer, il est inutile de se raidir, les traits crispés, pour affirmer : « Je ne veux plus fumer ! ». Les traités de suggestions qui affirment qu'il suffit de se répéter longtemps mentalement une formule pour obtenir le résultat désiré, oublient les éléments fondamentaux du procédé à employer. C'est pourquoi la puérilité et les échecs de ces méthodes ont parfois réussi à disqualifier l'auto-suggestion dans son ensemble ce qui est regrettable.

Pour tirer parti du merveilleux procédé de perfectionnement qu'est l'auto-suggestion, il faut pouvoir meubler le subconscient de formules simples qui résument ce que l'on désire obtenir de soi-même. Il faut que chaque formule ait un contenu émotionnel qui sollicite l'intérêt ; pour cela l'image mentale doit être intense et colorée. Les formules doivent être positives, nettes, fortes et stimulantes. « Leur but est de faire surgir une image anticipatrice de l'acte décidé — ou de l'attitude prise —, de le faire voir à l'avance, dans son accomplissement et dans ses résultats, tel qu'il sera réellement » (Jean Brun : « Réussissez à cent pour cent »).

Le subsconscient assimile les ordres lorsqu'ils sont donnés par l'intermédiare d'un code d'auto-suggestions vécues en image : il ne retient en effet que ce qui le frappe ; seul le contenu émotionnel peut influer et la volonté consciente n'entre en jeu que pour maintenir un certain calme physique et mental durant la séance. D'ailleurs, si vous crispiez trop votre volonté sur ce que vous désirez obtenir, vous iriez à l'encontre du but fixé. C'est selon ce principe que vous avez certainement expérimenté vous-même le fait bien connu du réveil conditionné : en vous couchant, vous savez que vous devez vous réveiller le lendemain à une heure exceptionnellement matinale, pour prendre le train par exemple. Au moment de vous endormir, vous ressentez avec émotion (de la crainte, de l'angoisse peut-être si le motif est important) les inconvénients qu'il y aurait à ne pas vous réveiller, à ne pas entendre la sonnerie du réveil ou vous rendormir. Or, le lendemain, vous vous êtes réveillé **spontanément à l'heure fixée, en général quelques instants avant la sonnerie du réveil.** Vous avez avec succès pratiqué l'auto-suggestion, dans toutes ses caractéristiques de base : évocation imagée de ce que vous vouliez obtenir même inconsciemment, évocation chargée d'émotion, et puisque votre but n'était pas de vous autosuggestionner, vous avez spontanément évité l'élément perturbateur qu'aurait pu constituer votre volonté crispée. C'est grâce à l'accumulation de tous ces éléments que vous avez finalement réussi.

C'est aussi selon ce même procédé qu'enfant, vous vous étiez aperçu un beau matin que vous saviez très bien une leçon alors que vous vous étiez contenté de la lire la veille au soir dans votre lit ; ou peut-être étiez-vous de ceux qui trouvaient toujours toute prête dans leur cerveau au réveil la solution des problèmes sur lesquels ils avaient « séché » la veille.

C'est ce type de procédé qu'il vous faut appliquer. Le moment le plus favorable pour pratiquer l'autosuggestion se place au coucher. Si vous vous endormez pendant la séance, le processus n'en est pas entravé car l'opération est poursuivie par le subconscient. L'état de réceptivité qui précède le sommeil est éminemment favorable aux exercices. Ainsi vos suggestions vont s'imprimer profondément en vous et effectuer peu à peu les transformations désirées.

Le second moment favorable est le réveil. Il faut alors rester calmement allongé, sans chercher à changer de position, et commencer sa séance en évitant toute tension. L'esprit tend-il à s'évader et toutes sortes de pensées étrangères au sujet envahissent-elles votre mental ? Contemplez-les calmement, sans agacement, quelques instants, sans leur donner d'importance. Surtout ne vous laissez pas mener en laisse par les idées qui vous viennent dans l'unique but de dériver votre attention ! Ensuite, calmement mais fermement, éloignez d'elles votre regard mental pour le porter sur vos exercices, et ne vous préoccupez plus de vos pensées parasites : laissez-les s'évanouir d'elles-mêmes, sans tenter de les combattre car cela ne ferait que les renforcer.

Vous pouvez aussi, bien sûr, pratiquer l'autosuggestion en cas de besoin à tout moment de la journée. Mais pour cette semaine, contentez-vous d'une séance d'une dizaine de minutes au lever et d'une autre au coucher. Mieux vaut travailler régulièrement et avec persistance que faire cinq séances en une même journée sans donner de suite à votre effort.

a) Pour pratiquer votre séance, il faut d'abord introduire en vous-même le calme physique et psychique. Vous allez donc vous allonger (si c'est dans la journée, asseyez-vous le plus confortablement possible dans un endroit calme où l'on ne risque pas de venir vous interrompre) et commencer par vous détendre. Pour cela, vous allez pratiquer les exercices de contraction-décontraction musculaire décrits précédemment. Puis vous allez respirer lentement et profondément, *par le nez* (très important), en commençant par une expiration (toujours par le nez). Imaginez, en exhalant votre souffle, qu'avec lui vous chassez toutes les impuretés en vous, physiques, mentales, etc..., tout ce que vous n'aimez pas et dont vous désirez vous débarasser. Expirez doucement, sans violence, en prenant conscience de vos côtes qui se ressèrent, de votre abdomen qui se contracte en appuyant sur votre diaphragme. Puis retenez votre souffle, pendant quelques secondes, sans dépasser le temps mis à expirer ou inspirer, ni chercher à battre de records : vous ne faites pas de la plongée sous-marine, mais un exercice d'autosuggestion ! Pendant cette brève rétention, imaginez-vous lavé de tout ce qui vous déplaît, et pensez : « Je suis calme et maître de moi ». Vous allez ensuite laisser l'air pénétrer naturellement dans vos poumons, sans effort ; imaginez qu'avec l'air vous absorbez l'énergie vitale (le « prana » des orientaux) qui va vous régénérer, vous vivifier, et vous imprégner de ce que vous désirez être. Chaque inspiration vous construit, chaque expiration vous purifie des résidus malencontreux. Durant l'inspiration, vous allez aussi penser : « le calme entre en moi, la force, la maîtrise de moi-même, l'équilibre et l'harmonie me pénètrent ». Vous allez à nouveau retenir votre souffle durant quelques secondes en visualisant toute cette énergie accumulée durant votre inspiration qui pénètre en votre sang et par son intermédiaire est véhiculé dans la moindre de vos cellules.

Répétez une dizaine de fois cette respiration rythmée sur la base de cinq secondes par exemple : cinq secondes d'expiration, cinq de rétention, cinq d'inspiration, cinq de rétention.

Non seulement cette respiration induit rapidement le calme et la sérénité quelqu'aient pu être les circonstances précédentes, mais elle procure une détente complète qui prépare le subconscient à recevoir favorablement les bonnes suggestions. Elle régularise aussi les fonctions physiologiques perturbées en massant les intestins, le foie, l'estomac et tous les organes avoisinnant par les mouvements amples et réguliers du diaphragme. Pour cela, il faut bien prendre garde à ce que cette respiration soit complète, à la fois thoracique et abdominale.

b) Après quelques instants de repos durant lesquels vous vous laissez aller, vous allez vous représenter le désir ou la tendance à supprimer, comme s'il s'agissait d'une force aveugle et puissante ; puis vous ferez une inspiration en vous suggérant mentalement : « J'absorbe la puissance de cette force ». En retenant le souffle, visualisez cette force qui se fixe dans votre subconscient ; en expirant, pensez : « Je dispose à présent de cette force pour l'employer à développer en moi la qualité qui lui correspond » (exemple : la confiance en moi, l'énergie, la volonté, la force d'âme...).

Il s'agit d'un exercice destiné à transmuter ce que vous voulez supprimer en utilisant l'énergie pour construire ce que vous voulez développer. C'est de « l'aïkido mental » : vous utilisez la force même de l'adversaire pour le vaincre. C'est aussi très efficace, je puis vous l'affirmer.

C) Au lieu de cet exercice, vous pouvez, après avoir pratiqué la relaxation et les respirations rythmées, vous contenter de vous suggérer l'une des formules-types qui seront exposées un peu plus loin. En ce cas, vous allez vous efforcer de visualiser clairement ce que vous désirez obtenir ; par exemple, si vous vous suggérez : « Il n'y a rien dont j'aie lieu d'avoir peur », il faut vous pénétrer de la signification de ce que vous dites, la vivre émotionnellement, entrer dans la peau du personnage nouveau que vous allez être. Vous pouvez même imaginer des circonstances que vous craigniez autrefois, et vous voir agir avec la fermeté d'âme que vous avez acquise. Votre imagination vous sera ici une aide puissante et bénéfique. Répétez plusieurs fois la suggestion, lentement, en y pensant. Aligner des mots ne servirait à rien. Il est bon aussi de l'écrire et de garder le carton dans sa poche pour le relire plusieurs fois au cours de la journée. Vous pouvez aussi répéter la formule à haute voix, avec force et conviction. Vous agirez de cette façon par le biais de vos sens et en renforcerez l'efficacité.

Peu à peu, vous vous apercevrez que ces suggestions bien choisies (toujours les mêmes), vous commencez à les mettre réellement en action. Ne soyez ni trop pressé, ni négligent. Considérez votre progrès avec calme, paisiblement, cela aussi est important. Évitez soigneusement toute manifestation intempestive d'impatience ou d'enthousiasme : les deux seraient un obstacle à vos efforts.

d) À la fin de la séance du matin, vous analyserez calmement votre programme pour la journée. Vous allez vivre cette journée par anticipation, comme vous désirez qu'elle soit, en fixant les détails de ce que vous avez à faire. Vous allez vous imaginer arrivant à l'heure à vos rendez-vous, gardant tout votre sang-froid s'il se présente une situation difficile, maître de vous tout le jour durant et vous appliquant à réaliser ce que vous avez à faire sans perte de temps ni remise au lendemain. Tout ce que vous avez à faire, vous le faites « maintenant ». Nul ne vous intimide et ce que vous faites, vous le faites bien. Arrivé au soir, content de votre journée et de vous-même, vous vous relaxez et profitez aussi intensément de vos loisirs que vous avez vécu avec intensité votre travail.

Cette visualisation terminée (elle ne doit vous prendre que quelques minutes) et le programme de votre journée clairement établi, vous vous mettez en train aussitôt, sans traîner, heureux de ce que vous allez vous prouver à vous-même.

Et durant la journée, n'oubliez pas votre mot d'ordre : « Ce que j'ai à faire, je le fais maintenant ».

5) Autosuggestions positives.

Avant de commencer vos séances d'autosuggestion, il vous faut décider, par écrit, des formules les plus complètes et les mieux appropriées à votre cas. Les meilleures formules sont celles qui vous « parlent » le plus. Choisissez-les en fonction de leur puissance d'évocation. Conservez-les jusqu'à ce qu'elles aient porté leurs fruits : ne les abandonnez pas au bout de quelques jours. Vous pouvez quand même les améliorer si vous en trouvez d'autres mieux exprimées, mais à condition de rester dans le même sujet.

Il faudrait prendre l'habitude de ces deux séances quotidiennes, et les maintenir durant plusieurs mois. Vous aurez ainsi la possiblité de passer en revue l'ensemble de vos possiblités et de les développer harmonieusement à un point que vous n'auriez jamais cru possible. Non seulement vous ferez l'admiration de tout votre entourage, mais vous ressentirez une joie de vivre et d'entreprendre qui compensera plus que largement le petit effort quotidien que vous vous serez imposé. Alors, courage !

Voici une série de formules que vous pourrez utiliser. Vous pouvez aussi en inventer : il importe seulement que le texte en soit clair, précis, concis, positif et évocateur de ce que vous désirez obtenir.

a) Suggestions pour combattre la timidité.

— Je suis courageux ; je n'ai peur de rien ; il n'y a rien dont j'aie lieu d'avoir peur.

— Ma timidité est en train de disparaître ; je ne suis plus timide ; j'ai de plus en plus d'assurance.

— Je ne crains rien parce qu'il n'y a rien à craindre.

— Je ne suis plus timide parce qu'il n'y a personne qui ait des raisons de m'intimider.

— Je suis un être humain vivant parmi d'autres humains ; nous sommes tous solidaires les uns des autres et d'égale importance ; nul n'a de raisons de m'impressionner.

— Je gagne tous les jours en force et en énergie ; je suis résolu, gai, énergique ; vivre est merveilleux et je veux tirer le meilleur parti de ma vie.

— Je ne crains pas les responsabilités ; ce que j'ai à faire, je puis le faire et je le fais dès maintenant.

— Je me sens beaucoup mieux maintenant ; je fais sans cesse des progrès et le travail est pour moi un plaisir ; je veux réussir et je réussirai.

— Je m'exprime avec aisance ; les mots me viennent à l'esprit facilement ; je suis très à mon aise en toute circonstance.

— Rien ne peut plus me troubler ; je fais tout mon possible pour bien faire ce que je fais ; cela seul compte.

— En toute circonstance je reste calme et maître de moi, etc...

b) Suggestions pour développer la confiance en soi.

— J'ai confiance en moi-même et ne crains pas les responsabilités.

— J'ai le respect de moi-même, je suis incapable d'une bassesse.

— Je sais me concentrer et réfléchir ; je me fie à mon propre jugement.

— Je réussis, je veux continuer à réussir.

— Aujourd'hui m'appartient ; je veux l'employer au mieux.

— J'ai confiance en moi, je suis résolu et ambitieux ; je ne crains ni la contradiction, ni l'opposition.

— Les échecs ne me découragent pas ; si j'échoue aujourd'hui, je triompherai demain ; je veux et je puis réussir.

— Je suis bienveillant et bon ; je suis toujours de bonne humeur, et je vois toujours le bien chez les autres.

— J'agis honnêtement, loyalement ; on peut avoir confiance en moi ; et d'ailleurs on a confiance en moi.

— Ma bonne humeur, ma bonté, mon assiduité au travail m'attirent les amis, l'influence et le succès.

— Ma vie est utile ; elle apporte le bonheur, l'amour, la

confiance et le succès ; je réussis parce que j'ai décidé de réussir.

— Je fais des progrès tous les jours ; je surmonte les difficultés de plus en plus facilement ; je ne me laisse pas intimider ; je suis maître de moi ; tout me réussit, etc...

c) Suggestions de fermeté, de volonté.

— Je suis ferme et décidé.

— J'ai une forte volonté.

— Je suis persévérant ; tout ce que j'entreprends, je le poursuis jusqu'au bout.

— Tout ce que je fais, je le fais bien, je suis calme, énergique et persévérant.

— Je deviens ce que je veux être ; je suis ce que je veux être.

— Je suis bien portant et vigoureux ; je suis ferme et résolu.

— Ce que j'ai à faire, je puis le faire et je le ferai.

— Ma persévérance calme et ferme vient à bout de toutes les difficultés.

— Ce que je fais, je le fais de mon mieux, donc je réussis.

— J'ai de l'ordre et de la tenue ; je fais toujours bonne impression.

— Je réussis parce que je dors, je me lève, je pense, je travaille, je vis de façon à réussir.

— Ma volonté se renforce de jour en jour ; je reste calme ; je sais ce que je veux et je l'obtiens, etc...

Si vous désirez vous améliorer dans un certain sens, autosuggestionnez-vous dans ce sens et peu à peu vous deviendrez ce que vous vous êtes suggéré, c'est-à-dire ce que vous avez appris à penser de vous-même.

N'oubliez pas : pas de crispation, décontraction, respiration lente et rythmée, visualisation de la suggestion : vivez-la intensément et avec émotion, et surtout : AYEZ UNE FOI ABSOLUE EN L'EF-FICACITÉ DE VOS SUGGESTIONS.

L'un des exercices de cette semaine sera donc la pratique assidue bi-quotidienne de l'autosuggestion comme je viens de vous l'expliquer dans le détail. Le second exercice va être expliqué au cours des deux dernières parties de ce chapitre.

« L'autosuggestion d'hier devient la pensée d'aujourd'hui.

La pensée d'aujourd'hui devient le ressort principal de l'action.

Les pensées et les actes répétés deviennent des habitudes qui font partie de vous-même.

En réalité, ce que vous vous suggérez fréquemment à vous-même, vous le devenez. »

J. Boisson de la Rivière : « La confiance en soi ».

6) Suggestions négatives reçues de l'extérieur.

Le second exercice qu'il vous faut mettre en oeuvre aujourd'hui, simultanément à l'exercice d'autosuggestion décrit précédemment, doit vous permettre de vous protéger, de vous rendre imperméable aux multiples suggestions destructives dont nous bombarde tout notre environnement.

Pour commencer, ne dites à personne que vous avez décidé de vaincre votre timidité ; ne parlez pas, ne faites aucune allusion à vos exercices : il se trouverait fatalement quelqu'un dans votre entourage pour ricaner, se moquer, et vous dire d'un air protecteur que « voyons ! tu sais bien que tu es timide depuis toujours ! On ne change pas son tempérament ! Tu perds ton temps et tu n'arriveras à rien avec ces bêtises... (Remarquez que cette simple phrase ne contient pas moins de quatre suggestions négatives à haut pouvoir d'évocation émotionnelle, donc très agissantes sur vous, car vous êtes encore convalescent, donc fragile : aussi, prudence !). Vous risquez même d'entendre ce refrain proclamé à toute votre famille, par ceux qui, justement, n'ont pas la volonté nécessaire au simple désir de s'améliorer. N'ayant pas ce courage qui est vôtre, puisque vous avez entrepris ce travail avec sérieux, ils feront tout leur possible pour vous décourager, de peur que votre réussite ne prouve leur erreur, car cela les obligerait à subir à leur tour les remontrances de leurs proches, du genre : « Toi, tu ne ferais rien pour changer, bien sûr ! Regarde Un Tel (vous !), lui a eu l'énergie de se transformer radicalement et il est devenu un autre homme... » C'est trop facile de dire qu'on ne change pas ! Vous, vous savez maintenant que l'énergie demandée n'est pas bien grande, que les exercices sont faciles et enrichissants presque depuis le premier jour de leur mise en application ! Mais cela aussi, ne le dites pas pour le moment : savourez vos succès, les compliments qui vous sont adressés ; vous le méritez bien et ils vous incitent à encore mieux faire et mieux réussir !

Ce secret gardé mettra beaucoup plus en valeur votre réussite, on vous en parlera, et le résultat sera plus encourageant pour vous. Ce sera aussi, en soi, un excellent exercice de maîtrise de vous-même : prouvez-vous que l'on peut vraiment vous faire confiance parce que vous êtes capable de tenir votre langue sur un secret. La seule personne à laquelle vous pourriez vous confier devrait être quelqu'un de très positif, et vraiment capable de vous aider de ses encouragements et de ses conseils, quelqu'un en qui vous ayez parfaitement confiance... et qui soit digne de cette confiance. Donc exercez votre jugement avant de vous lancer tête baissée dans une confidence que vous pourriez regretter par la suite.

Pour apprendre à vous protéger des multiples suggestions négatives qui vous environnent, apprenez d'abord à les remarquer. Évitez à tous prix la fréquentation d'autres timides ou de tous ceux qui sont toujours à vous plaindre où à pester contre vos défauts. Partez pour un temps s'il le faut, ayez le courage de quitter votre milieu familial et de vivre seul quelque temps, si cela vous est possible, afin d'éviter au maximum les critiques auxquelles vous êtes encore trop sensibilisé. Si vous ne le pouvez pas, dites que pendant quelque temps, vous désirez vous isoler un peu, que vous éprouvez le besoin de réfléchir, de faire le point avec vous-même et que ce besoin de solitude ne touche en rien l'affection que vous avez pour les vôtres, qu'au contraire vous désirez mettre tout en oeuvre pour les rendre plus heureux. En général, ce genre d'annonce est assez bien accueilli si l'on prend soin d'apaiser à l'avance toute appréhension, toute crainte légitime d'abandon chez ceux à qui nous nous adressons.

Pensez que lorsque vous étiez timide, il vous arrivait fréquemment d'être maladroit en attitudes, en gestes, en paroles ; vos amis en avaient pris l'habitude, et vous risquez fort d'entendre encore quelques temps des suggestions négatives dont il vous faut prendre conscience afin qu'elles n'atteignent plus leur but en vous. Elles deviennent d'ailleurs fausses, car vous changez à toute vitesse. En voici quelques exemples :

— «Ne touche pas ça ; tu sais que tu es maladroit, tu risques de me le casser ! » (N'en tenez pas compte et faites ce que vous avez à faire).

— « Ne t'en fais pas, j'irai voir cette personne à ta place : tu es si timide que tu ne ferais que des bêtises ! » (Insistez gentiment, en remerciant de l'aide proposée, mais fermement pour faire cette démarche vous-même. Mettez-vous sans cesse au défi ! Qu'importe si vous ne vous sentez pas encore parfaitement au point : la plupart des gens sont comme vous et bientôt vous ferez beaucoup mieux qu'eux).

— Si votre femme, votre mari ou n'importe qui d'autre a pris l'habitude de répondre à votre place lorsqu'on vous interroge, restez calme, gentil mais interrompez-la avec fermeté en disant : « Tu permets ? Je préfère répondre moi-même ». Surtout, qu'il n'y ait dans votre ton pas la moindre trace d'agressivité : si cette mauvaise habitude fut prise, vous en étiez satisfait dans une certaine mesure puisqu'elle vous soulageait de votre propre responsabilité. Vous ne faites donc maintenant que supporter quelques unes des conséquences générées par **votre attitude antérieure. Pas d'agressivité, mais de la fermeté.** Il est fort probable qu'au bout de deux minutes on vous reprenne la parole ; soyez patient, et sûr qu'en quelques jours, lorsque plusieurs fois de suite et chaque fois que l'occasion s'en présentera, vous affirmerez votre volonté de ne plus laisser à personne le soin de s'exprimer à votre place, la vieille habitude sera rompue. Ne vous donnez surtout pas l'excuse que vous vous exprimez mal et l'autre mieux que vous : c'est normal, il en a l'habitude, pas vous ; à vous donc de vous exercer. Quant aux multiples interjections du genre : « Ce n'est pas possible d'être aussi timide, timoré, maladroit, renfermé, ... » et j'en passe ! contentez-vous de les laisser glisser sans chercher à vous en disculper. Laissez vos actes, vos attitudes parler pour vous, c'est de loin préférable !

Et si, au moment d'affronter un entretien difficile, un examen, une conférence ou toute autre situation délicate pour le timide que vous étiez, vos amis bien intentionnés arrivent, la mine soucieuse et prêts à compatir : « Ca va ? » (ce qui sous-entend que ça pourrait bien ne pas aller !). « Tu verras, ça se passera mieux que tu ne le penses » (ce qui implique que vous n'en pensez rien de bon... et eux non plus !) etc..., ne prêtez pas attention à tout cela ; répondez d'un air naturel et non concerné : « Bien sûr que ça va ! » et éloignez-vous : c'est en effet le moment de faire quelques respirations rythmées, une petite séance d'autosuggestion. Pensez : « Je vais réussir, je suis très calme, tout cela n'est pas si important qu'il n'y paraît ; et s'il m'arrivait d'échouer, la belle affaire ! C'est arrivé à d'autres avant moi, et même les plus grands ont tous un jour connu l'échec ; il n'y a donc aucune raison de craindre quoi que ce soit ni de me faire du cinéma ; je suis très décontracté puisque je n'ai plus aucune raison sérieuse d'avoir peur ; je n'ai pas peur, j'ai confiance en moi, je sais que je saurai mettre le meilleur de moi-même dans ce que je vais faire maintenant ; c'est cela le plus important car je n'aurai aucun reproche à me faire ; c'est pour toutes ces raisons d'ailleurs que j'ai toutes les chances de succès de mon côté ; tout va donc très bien et la vie est passionnante à vivre ! ».

Vous allez à partir de maintenant, laisser glisser sur vous toutes les réflexions négatives, d'où qu'elles proviennent. Si elles paraissent (ou sont) justifiées, reconnaissez votre erreur, mais avec naturel, sans insister, comme quelque chose qui peut arriver à tout le monde et qui ne vous est pas particulier. Grâce à vos séances d'autosuggestion positive, vous ne cessez d'améliorer tout ce que vous êtes, donc vous faites de mieux en mieux ce qui vous est demandé. Vous vous dégagez ainsi de plus en plus de l'image qu'on avait de vous et cette image se détruira d'elle-même, remplacée par le nouveau visage que vous présentez.

7) Suggestions négatives provenant de vous-même.

Veillez aussi avec attention à éviter toute pensée négative en vous-même. Pendant une journée, consacrez-vous à remarquer toutes les fois où vous pensez ou vous exprimez à haute voix de manière négative. La troisième grande loi de cette semaine sera : « Cherchez le bien en toutes choses », et vous le trouverez, vous pouvez en être assuré.

Commencez par le trouver en vous-même ; considérez ce qui est bien, beau, riche et harmonieux en vous et prenez l'habitude de ne pas attacher votre attention à ce qui vous déplaît. Cessez de dire ou penser (même si cela vous paraît vrai) : « Je suis fatigué, j'en ai assez de ceci ou cela ; je me sens découragé ; je n'y arriverai jamais ; j'ai mal à l'estomac ; ma santé est si fragile ; je n'ai pas assez de volonté et je suis trop paresseux... » Ce genre d'affirmation ne sert qu'à vous autosuggestionner négativement de façon fort nuisible. Si vous êtes malade, prenez les mesures qui s'imposent et sachez qu'ainsi vous serez vite remis ; inutile de vous lamenter ou de vous faire plaindre, c'est une faiblesse indigne de vous et l'on vous traiterait alors comme un enfant ; montrez au contraire votre force intérieure, et prenez avec humour les phrases apitoyées qu'on vous adresse ; vous vous guérirez plus vite, vous soulagerez les autres d'un souci à votre égard et ils vous considéreront avec respect et admiration. Le besoin de se faire plaindre n'amène en comparaison qu'une bien minime satisfaction ; soyez sûr que vous ne perdrez pas au change...

Soyez positif envers les autres. En tout homme, il y a des qualités et des défauts ; que vous importent les défauts, vous ne les supprimerez pas en les déplorant ; bien au contraire vos pensées négatives tendront à les renforcer et vous nuirez alors aussi bien à cette personne qu'à vous-même. Supprimez de vos préoccupations les critiques faciles qui ne changent rien et vous font vous sentir supérieur d'une façon indigne de vous. En critiquant, d'ailleurs, vous donnez vous-même prise à la critique. Voyez les êtres bons et bienveillants, aimés et appréciés de tous sans distinction de titre, rang ou position sociale : jamais leur bouche n'émet la moindre critique et leur cerveau lui-même n'en formule pas. En leur présence, chacun se sent aimé, encouragé et à l'aise, parce qu'il n'y a jamais à craindre d'être jugé ; ils peuvent à l'occasion formuler leur opinion sur votre manière d'être et d'agir, mais ce sera toujours avec tant de délicatesse, d'amitié et de désir de vous être utile que vous ne vous sentirez jamais offensé, au contraire. Soyez un de ces êtres humains « debout », digne de ce nom, et que les petites bassesses coutumières au quotidien en viennent à ne plus effleurer votre esprit. Vous avez autre chose à faire, tellement plus intéressant et générateur de joie, de bonheur et d'harmonie partout où vous vous trouverez.

Pour vous exercer, pourquoi ne pas jouer (et pourquoi pas avec toute votre famille), au jeu merveilleux de Pollyanna, le « jeu du contentement ». Pollyanna était l'héroïne d'un roman pour enfant (« Pollyanna ou le jeu du contentement ») qui fit mes délices alors que j'avais une dizaine d'années. J'ai hélas complètement oublié le nom de l'auteur qui, si l'on en juge selon son livre, doit être un homme sage et digne d'être connu de ses contemporains autant que des nôtres. Ce roman influa sur ma vision du monde à cet âge tendre où tout prend racine, et dans les moments les plus difficiles de ma vie, il eut toujours une petite voix venue à un certain moment me chuchoter à l'oreille : « Tu te souviens de Pollyanna ? Ressemble-lui un peu ! »

Aussi, pour clore ce long chapître et vous détendre, je vais vous conter l'histoire de cette charmante petite fille. Elle était fille d'un missionnaire dont les honoraires étaient si restreints qu'il pouvait à peine subvenir aux nécessités de l'existence. Parfois, la mission recevait des barils contenant de vieux vêtements et autres objets sans valeur, et Pollyanna espérait toujours qu'un jour ou l'autre elle trouverait dans l'un des barils une poupée ! Cet espoir était si grand que son père avait demandé s'il était possible d'envoyer dans le baril suivant une vieille poupée qui aurait tant réjoui sa petite fille. Lorsque le baril arriva, leur désappointement fut grand de trouver, au lieu d'une poupée, de petites béquilles ! Pour consoler l'enfant, le père dit alors : « Soyons heureux et reconnaissants de ne pas avoir besoin de béquilles ! » Depuis ce jour, ils firent un jeu de cette attitude, s'appliquant à trouver ce qui les rendrait heureux et reconnaissants quelques pénibles que puissent être les circonstances,... et le jeu réussissait à chaque fois ! Ils se mirent alors à enseigner ce jeu à d'autres, leur rendant ainsi la vie plus heureuse et la force de surmonter les obstacles.

La vie leur étant devenue de plus en plus dure, la mère de Pollyanna mourut, bientôt suivie par son père, et la petite fille fut recueillie par une vieille tante riche mais revêche et inhospitalière qui demeurait au Vermont (U.S.A.). En dépit du mauvais accueil et du logis peu agréable qui était offert, elle ne vit aucune raison de ne

pas être contente ; elle rayonnait de joie de vivre, en-
traînant avec elle par son charme la bonne, le jardinier
et même, avec le temps, sa tante si acariâtre, elle-même.
Elle avait le don de voir la beauté partout et s'il n'y
avait aucun tableau sur les murs délabrés de sa mansar-
de obscure, elle se réjouissait qu'il y eut une lucarne
donnant sur un paysage beaucoup plus beau que ce que
le meilleur artiste eut pu peindre ; son lavabo n'avait pas
de miroir ? Tant mieux, car cela l'empêchait de voir ses
taches de rousseur, et encore était-elle bien heureuse que
ce ne soit pas des verrues ! Ses parents n'étaient plus
auprès d'elle, mais il fallait s'en réjouir puisqu'ils étaient
avec Dieu dans le ciel ; et si ils ne pouvaient plus lui
parler, du moins le pouvait-elle.

Lorsqu'elle arrivait en retard après avoir folâtré
dans l'herbe, ayant oublié l'heure du dîner, elle recevait
l'ordre d'aller à la cuisine avec pour tout repas du pain
et du lait ; sa tante s'attendait à des bouderies, mais
joyeusement Pollyanna lui répondait : « Oh ! Tante, je
suis bien contente de ce que vous me donnez, j'aime
tant le pain et le lait ! », car toujours elle imaginait
quelque bon motif caché et elle en avait de la recon-
naissance.

Nancy, la bonne qui détestait le lundi, jour de
lessive, devint plus joyeuse le lundi matin que les autres
jours parce qu'il n'y avait qu'un seul jour de lessive par
semaine ! Au jardinier qui se plaignait d'être à moitié
courbé par les rhumatismes, elle répondit qu'il devait
être heureux puisque la moitié de son mouvement était
déjà fait pour arracher les mauvaises herbes.

Sa grande victoire fut la conquête d'un vieux
célibataire qui vivait en reclus dans son château
luxueux. Plus il la repoussait, plus elle se sentait poussée

vers lui, triste de le voir si malheureux. Avec bien du mal, elle finit par lui apprendre son jeu ; il ouvrit enfin son coeur... et les volets de son château et adopta un petit orphelin. La grosse difficulté fut, alors qu'il venait de se casser une jambe, de le rendre gai en lui disant qu'il devait être heureux de n'avoir qu'une seule jambe brisée, et elle ajouta que c'eût été pire si ses jambes avaient été aussi nombreuses que les pattes d'un millepattes et qu'elles eussent été toutes fracturées !

Elle réussit à rapprocher dans un bonheur partagé un couple sur le point de se séparer ; elle rendit la joie de vivre à tous ceux qui l'approchaient. Une dame riche mais qui se rendait malheureuse au souvenir de ses ennuis passés, apprit grâce à elle à tourner son attention vers les misères des autres, et à apporter un peu de joie dans leur vie ; elle attira ainsi le bonheur en abondance dans sa propre vie.

Petit à petit, la ville entière commença à pratiquer ce jeu ; sous son influence, les gens se transformèrent, les malheureux apprirent à goûter la vie, les malades retrouvaient la santé. A tous elle redonnait du courage, au point que le médecin de la ville la prescrivait comme on fait d'un médicament. « Cette petite fille, disait-il, est préférable à une bouteille de tonique. Une dose de Pollyanna est plus curative qu'une pharmacie pleine de médicaments. »

Quant à Pollyanna elle-même, ayant su transformer le coeur sec de sa tante, celle-ci l'installa enfin dans une chambre ravissante au même étage qu'elle. Ainsi tout le bien fait aux autres réagissait-il sur elle.

Ce que cette petite fille fit aux gens de son entourage, nous le pouvons tous et devrions agir ainsi dans notre propre sphère, aussi bien en ce qui nous concerne nous-même, nos amis et le monde en général. Si quelques personnes sur terre agissaient ainsi, le monde deviendrait vite un paradis. Alors sachez être heureux, dès maintenant !

Chapitre VI

LA VOLONTÉ

« *Aie un but dans la vie et, quand tu as ce but,
mets en oeuvre pour l'atteindre tout la force d'esprit et
de muscles dont tu es capable* ». *(Carlyle)*.

1) De l'importance de s'exercer.

Une volonté non exercée, faible, est une cause
importante de laisser-aller, donc d'échec et de manque
de confiance en soi. La timidité lui est en général intimement liée.

De plus, la volonté agit sur l'imagination, de
même que l'imagination sur la volonté. Se dire : « Je ne
pourrai pas », équivaut à ne pas pouvoir. On rejoint ici
l'autosuggestion négative que vous avez pris la
résolution d'éviter soigneusement. Certes il y a des êtres
qui possèdent naturellement une volonté ferme et d'autres
qui en sont pratiquement dépourvus ; mais la volonté est
un « muscle psychique » capable de se développer par
l'exercice.

Il est donc très important que vous exerciez votre volonté, car sans un minimum de cette qualité, on ne peut être sur terre qu'un être falot, sans utilité, sans efficacité et aussi sans joie. Or, de la volonté, vous en avez : vous voici arrivé presqu'aux deux tiers de cet ouvrage et vous avez mis en pratique votre désir de vaincre votre timidité. Tout cela prouve que votre volonté est suffisante. Le fait que vous ayez si longtemps souffert de timidité et que peut-être vous vous jugiez sans volonté, faible et mal armé pour le combat de la vie, prouve simplement que *vous ne savez pas* utiliser votre volonté.

D'ailleurs, les exercices que je vous ai demandé de faire au cours des chapitres précédents, ont déjà agi indirectement mais efficacement sur le développement de celle-ci.

Et si par hasard vous êtes de ceux qui éprouvent vraiment des difficultés à passer à l'action, si vous vous êtes contentés de lire les conseils que je vous ai donnés sans arriver à les appliquer à votre vie courante, alors je vous conseillerai de commencer vos exercices par ceux qui seront donnés dans ce chapitre. Lorsque votre volonté sera un peu mieux exercée, alors vous pourrez reprendre ce livre à son début et mettre en oeuvre votre volonté regagnée pour continuer votre auto-transformation.

2) Importance de la respiration nasale.

Ce conseil est le premier que je vous donne, car c'est l'un des moyens les plus simples et les plus efficaces d'acquérir une santé robuste tout en développant son caractère et sa volonté.

Il faut vous habituer à toujours respirer la bouche fermée, par le nez : si vous n'en avez pas l'habitude, ce sera au prix d'un léger effort de volonté. Et pour que le sommeil soit vraiment réparateur, il est indispensable de conserver la bouche fermée ; cela vous évitera la sensation de lassitude au réveil... et les ronflements, ce dont votre conjoint vous sera très reconnaissant ! Il vous faudra peut-être quelque temps pour surmonter vos anciennes habitudes, mais en quelques semaines maximum, l'automatisme nouveau sera créé. Cette respiration est celle que pratiquent instinctivement les animaux ; les races primitives la conservent encore naturellement, au grand bénéfice de leur santé. L'air est réchauffé et purifié à son passage à travers les narines et l'on en absorbe aussi une plus grande quantité, ce qui est bénéfique à l'organisme tout entier. Selon certains auteurs, cette pratique augmente la vitalité, préserve des maladies, et conduit à la fermeté, à l'esprit de décision, à la persévérance et à la force de volonté. Cela vaut la peine d'essayer !

Quant à la respiration, elle est généralement insuffisante. Vous allez donc prendre l'habitude de pratiquer quelques exercices de respiration profonde et rythmée plusieurs fois par jour devant une fenêtre ouverte. Faites bien attention à vider aussi complètement que possible vos poumons et gardez votre bouche fermée durant tout l'exercice : inspiration, rétention, expiration, rétention.

3) Qu'est-ce que la volonté ?

La volonté est le pouvoir de choisir, de décider de faire ou de ne pas faire quelque chose que nous jugeons possible. C'est le pouvoir de mettre ses décisions, ses désirs en pratique. La volonté faible correspond à l'irrésolution, à l'hésitation, au manque d'esprit de décision. Ceux qui parlent de leur faiblesse de volonté y trouvent tout simplement une excuse facile pour faire ce qui leur plaît et s'abstenir du reste. Il y a une différence fondamentale entre celui qui a une forte volonté et le faible ; celui-ci se laisse diriger par les événements, se laisse aller à satisfaire toutes ses émotions, passions, désirs, sans se préoccuper du résultat final. Seul compte pour lui le plaisir du moment. Il est évidemment plus facile de se laisser aller que de se diriger soi-même, mais dans ce cas, on fait à peu près ce que font les animaux, et on ne mérite guère l'appelation d'homme. Il est trop facile de toujours s'excuser des bêtises en disant : « Ce n'est pas ma faute, j'ai si peu de volonté ! » Dire une telle chose, c'est se nier soi-même, nier toute évolution possible et se fixer dans la médiocrité *volontairement* choisie, ce qui prouve que la volonté est là, mais utilisée dans tout ce qu'elle recèle de négatif.

Analysez soigneusement ce qui se passe *réellement* en vous lorsque vous dites n'avoir pas de volonté. Vous vous apercevrez qu'il s'agit toujours d'une fuite devant un effort à faire qui pourtant vous serait fort bénéfique. Songez à ce que vous voudriez réellement faire de vous-même, que pour avoir confiance en vous, pour gagner l'estime des autres, il faut en premier lieu que vous regagnez l'estime de vous-même. Or, vous ne vous sentez jamais fier de vous lorsque vous abdiquez devant la première difficulté à vaincre, devant le moindre effort à faire. Remarquez aussi que bien souvent, vous ne faites pas ce que vous devriez faire parce que vous savez que quelqu'un le fera alors à votre place. En ce cas, le manque de volonté est synonyme de paresse, d'égoïsme et de goujaterie manifeste ! Toujours compter sur les autres est habile et évite parfois des fatigues, mais cela ne va qu'un temps et l'on perd vite leur amitié, à ce jeu-là. Le vélléitaire est toujours la première victime de lui-même. Un peu de réflexion vous le confirmera très vite.

Avoir de la volonté n'est pas non plus prendre des décisions soudaines et se lancer impulsivement dans une action non réfléchie. Non ! Il vous faut apprendre à juger, comparer, réfléchir, considérer les conséquences d'un acte ; après, seulement vous pouvez prendre une décision. Et lorsque cette décision est prise, agissez dès que possible. Cessez de rêver, de tirer des plans qui resteront à l'état de projet : passez à l'action. Songez à la joie que vous éprouverez lorsque vous aurez réalisé ce à quoi vous rêviez. Commencez par réaliser des choses que vous aimez, qui vous intéressent. Il est inutile de vous mettre à apprendre le piano pour exercer votre volonté si vous n'aimez pas la musique. Mais travaillez sans relâche dans le domaine que vous vous êtes choisi et pour lequel vous vous sentez le plus d'aptitudes.

Surtout, allez tranquillement de l'avant, pas-à-pas. Ne prenez pas la décision d'escalader d'un seul bond une montagne : l'effort trop important vous mènerait à l'échec et vous ne seriez pas prêt de tenter une nouvelle expérience. Ce qui compte d'ailleurs, comme dans tout entraînement, c'est la régularité, la patience et la persévérance. Il est bien plus difficile de se fixer un but modeste mais renouvellé de jour en jour, que d'accomplir un acte héroïque en ce domaine tous les six mois. Et n'oubliez pas qu'on ne manque jamais d'énergie pour les choses qui intéressent réellement. Comme à chacun d'entre nous, il vous est bien arrivé, un jour que vous ne vous décidiez pas à sortir de votre lit, fatigué à l'avance par la journée morne qui s'annonçait, de vous retrouver debout en une seconde parce que vous veniez de réaliser qu'il s'agissait en fait d'une journée de congé et que vous deviez aller pique-niquer avec des amis. Le « manque de volonté » vous empêchait de vous lever pour aller travailler, par contre le problème était résolu à la joie d'une belle journée... Alors, faiblesse de volonté, ou laisser-aller ? À vous de juger.

4) Exercice : l'acte gratuit.

Cet exercice est peut-être l'un des plus importants en ce qui concerne le développement de la volonté en même temps que du détachement. Nous n'avons pas encore parlé de cette qualité particulière, pourtant si importante à la fois dans nos rapports avec nous-même et avec autrui. Savoir être détaché ne signifie pas être indifférent, pas du tout. Mais c'est savoir poursuivre sa route sans inutiles regards en arrière, sans bagages trop lourds à traîner qui risqueraient de nous fixer au bord de la route, épuisés. Le détachement, c'est la souplesse, la liberté vraie et la possibilité de mettre en oeuvre toutes ses énergies au moment où cela est nécessaire, sans nous distraire inutilement vers des choses de peu d'importance. Cette forme de détachement s'apparente à la concentration et la favorise ; elle représente le véritable moyen de développer sa conscience de veille (voir chapitre III) et de vivre intensément ce que l'on fait, ce que l'on vit à chaque instant de la journée. Cette intensité de l'existence, lorsqu'on a appris à la ressentir, supprime d'un seul coup tous les obstacles personnels à la réalisation de soi-même : un manque de confiance en soi, de volonté, de timidité, paresse, ennui, sentiments d'infériorité ou de supériorité, besoin de tenir son rôle par rapport aux autres au lieu de simplement être soi-même (et merveilleusement !) dans la beauté et la lumière que chaque être, *quelqu'il paraisse*, recèle en lui-même, plus ou moins cachées, plus ou moins apparentes, mais qui nous rend tous égaux dans ce qu'il y a en nous de supérieur. Cela peut aller très loin, cela va très loin. À chacun de faire le ménage dans son palais intérieur, de fouiller en lui, d'extraire ce « trésor caché dedans » de la fable de Monsieur de La Fontaine.

Vous voyez que tout ceci est important dans la conduite de la vie, et qu'il ne tient qu'à vous d'entreprendre ce travail sur vous qui vous apportera de surcroît le bonheur et la véritable réussite : celle qui vous verra entouré d'amis sincères, répandant joie et amitié autour de vous, et la recevant au retour au centuple. Posez-vous sincèrement la question : que désirez-vous le plus dans la vie ? Être heureux, vraiment heureux, ainsi que ceux qui vous entourent ? ou par exemple posséder une merveilleuse villa ? Réfléchissez bien.

Peut-être pensez-vous en ce moment que la villa ferait votre bonheur : en êtes-vous bien certain ? La réponse vous appartient. Quelle qu'elle soit, vous *devez*, après avoir décidé, choisi ce que vous voulez faire de votre vie, vous mettre à l'ouvrage aussitôt pour le réaliser. Vous pouvez le faire, chacun peut le faire ; pensez que chacun est armé, outillé, pour réussir ce qu'il désire vraiment faire de sa vie, après avoir longuement réfléchi et usé de discernement pour tenter de bien comprendre la valeur réelle de chaque chose. Vos rêves, ceux qui sont sensés, dignes d'un être doué de raison, sont *toujours* à la mesure de vos moyens pour les réaliser.

Vous pouvez faire de cette phrase une formule d'autosuggestion nouvelle pour cette semaine consacrée au développement de votre faculté de vouloir et d'agir.

N'oubliez pas votre séance bi-quotidienne d'auto-suggestion. « Je suis ferme et décidé », « Ma volonté est forte et j'applique les décisions que je prends », « Je veux et je fais ce que j'ai décidé de faire », « J'ai en moi toutes les qualités nécessaires à la réalisation de mes objectifs, je le sais et j'agis en conséquence », « Ce que je veux être, je peux l'être ; je suis selon ce que je pense ».

Trouvez encore d'autres formules, peut-être plus personnelles, mieux adaptées à vous-même et à ce que vous *voulez* obtenir de vous.

À cet exercice qui vous est devenu familier je pense, et dont vous avez pu constater l'efficacité si vous avez bien suivi mes conseils, vous allez ajouter un exercice qui, lui, nécessite une pratique régulière de plusieurs semaines ; songez que si vous avez coutume d'en rester à des vélléités, si donc vous n'allez pratiquement jamais à contre-courant de vos impulsions et de vos tendances, si vous suivez toujours le fil de l'eau et de la loi du moindre effort (ce qui vous fait dire que vous n'avez pas de volonté !), il va vous falloir faire demi-tour et apprendre à remonter le courant. Si vous êtes bon nageur, vous savez ce que cela veut dire : lorsque vous vous êtes laissé glisser au fil de l'eau et que vous décidez de revenir vers votre point de départ, le moment le plus difficile se situe lorsque vous effectuez le demi-tour, car vous êtes encore emporté par votre élan naturel en même temps que par le courant même léger, et vous affrontez simultanément la force de l'eau pour amorcer votre remontée. Les premières brasses sont plus pénibles, demandent plus d'effort que les suivantes, car en peu de temps le nouveau rythme est pris et vous savez coordonner vos mouvements et doser vos efforts selon la situation nouvelle.

Eh bien, pour vous c'est la même chose, c'est pourquoi le développement durable de ce qu'on appelle la volonté ne peut se faire en quelques jours. Il faut pour cela un effort soutenu et régulier. Ici encore, il ne s'agit pas de serrer les mâchoires, de nouer tous ses muscles pour se forcer à accomplir à tous prix le changement. Mieux vaut, comme pour le développement musculaire harmonieux, un petit effort bien dosé, ne nécessitant qu'un peu de volonté mais réalisé chaque jour et jour après jour, que de grandes réalisations soudainement décidées... et jamais terminées ! Donc une fois encore, patience et persévérance !

Cet exercice particulier consiste à accomplir chaque jour un acte gratuit, c'est-à-dire n'ayant aucune utilité, ne vous apportant rien.

Il faut pour cela que vous le choisissiez vous-même, sans en parler à personne bien entendu, car cette action doit naître de votre propre initiative, inventée par vous.

Elle doit ne rien vous apporter : ni satisfaction, ni déplaisir, ni aide d'aucune sorte à vous, ou à qui que ce soit. Prenons un exemple :

Vous allez peut-être décider que tous les soirs à vingt-et-une heure, vous sortirez de chez vous, quelque soit le temps ou les circonstances (si vous êtes chez des amis, vous prendrez un prétexte quelconque pour vous absenter les quelques minutes nécessaires) ; vous ramasserez un caillou devant votre porte, ferez le tour de votre maison et le remettrez à sa place, là où vous l'avez pris, avant de rentrer chez vous.

Attention : ne dites pas : « Je vais faire cela avant (ou après) le repas, cela me fera un peu d'exercice », ou bien « cela facilitera ma digestion, je dormirai mieux » ou toute réflexion de ce genre qui donnerait une utilité à l'acte choisi. IL DOIT N'EN AVOIR AUCUNE, de quelque sorte que ce soit, sinon vous passez à côté de l'exercice. Choisissez-le donc attentivement de telle sorte que cet acte soit en lui-même votre unique motivation. Ne décidez pas quelque chose de compliqué, ce ne serait pas plus efficace et vous risqueriez fort de l'abandonner au bout de quelques jours.

Comprenez bien que le seul but est de développer ce qui vous manque le plus : savoir passer à l'action. Le caractère gratuit de l'acte contribue à forger en vous le détachement. Tout cela vous permettra, avec un peu d'exercice, de savoir prendre une décision réfléchie, soigneusement revue par votre discernement, et de la mettre en pratique en concentrant sur elle toutes vos énergies, sans plus regarder en arrière (détachement) ni même en avant, identifié à votre action. Cela n'est réalisable que si vous avez accordé auparavant un temps suffisant à l'examen du problème, afin d'en analyser tous les tenants et aboutissants ; cette étude étant faite, vous pouvez agir en conséquence, sûr de vous et persuadé d'avoir fait le choix qui s'imposait ; c'est pourquoi il faut ensuite avoir sû développer en vous le détachement qui vous permettra de ne pas sans cesse revenir sur vos décisions, tergiverser, hésiter, voir des problèmes t ù il n'y en a pas... et finir par ne plus rien faire, ce qui est classique !

C'est pour cela qu'il faut vous entraîner à l'acte gratuit ; si vous en retiriez un quelconque avantage, vous seriez payé de votre effort par cet avantage, et il ne resterait rien pour le développement du vouloir. L'athlète qui exerce ses muscles accomplit un acte gratuit, uniquement destiné à son développement musculaire : soulever des haltères ne lui est d'aucune utilité à aucun point de vue ! Vous qui voulez muscler votre volonté devez agir de même, à l'aide d'exercices n'ayant que cet effet là, et aucun autre. Voilà tout le mystère !

Voici quelques exemples d'actes gratuits pour vous aider à inventer le vôtre :

— Aller tous les soir à la même heure ouvrir une certaine porte située si possible un peu loin (jardin par exemple) et la refermer ; en vous concentrant bien sur ce que vous faites.

— Poser un caillou au-dessus d'une armoire ; aller chaque jour le retourner, après avoir dû amener une chaise prise dans une autre pièce, avoir grimpé dessus ; puis la remettre en place.

— Échanger quotidiennement les ampoules électriques de deux lustres placés dans des pièces différentes.

— Laver des assiettes propres, les essuyer et les remettre à leur place.

Vous trouverez vous-même l'exercice vous convenant le mieux. Et persuadez-vous bien que quoi qu'il en paraisse, il a rien de ridicule dans tout cela. Pour vous en bien persuader, faites comme j'ai fait, et tout un groupe d'amis avec moi : essayez-le pendant six mois !

5) **Volonté et imagination.**

L'une ne va pas sans l'autre, cela est évident. Une imagination mal contrôlée peut vampiriser toute votre énergie sans même que vous y ayez pris garde. Vous allez par sa faute vous créer des obstacles insurmontables, tout simplement parce qu'elle aura mis sur votre nez des verres extrêmement grossissants au travers desquels la souris vous paraîtra une montagne !

A d'autres moments, ce seront des verres déformants qui donneront aux choses les plus droites une allure sinueuse inquiétante.

Pourquoi, me direz-vous, une faculté aussi merveilleuse que l'imagination se manifesterait-elle, lorsqu'elle n'est pas placée sous le contrôle de la volonté, comme une désorganisatrice de premier ordre de la vie psychique ? Voyez les oiseaux, ceux qui vivent en groupe ; ils sont entièrement dirigés par leur instinct, commun à tout le groupe ; l'un d'eux s'envole-t-il ? Il est aussitôt imité par ses congénères. Aucun d'entre eux ne manifeste la moindre autonomie ; aucun désir personnel ne semble les habiter. L'instinct ordonne-t'il aux lemmings de se jeter à la mer, ils le font, et cela assure la survie de leur espèce, donc une forme de bien-être ; les oiseaux migrateurs lorsqu'ils font leurs longs voyages saisonniers, sont ainsi guidés vers les lieux pouvant leur assurer des conditions de vie plus heureuse. Les animaux dans leur ensemble, sont dirigés vers ce qui peut assurer leur survie, la satisfaction de leurs plaisirs et le bien-être en général. Seuls les plus évolués parmi nos animaux familiers commencent à perdre leur instinct (ce qui à première vue semble préjudiciable), mais manifestent par cela même le germe de l'individualité future qui sera leur un jour lorsque l'évolution les aura menés à ce point. Vous connaissez tous des chats, des chiens, capables de se maîtriser, capable de volonté personnelle et dont certains actes manifestent une réflexion intelligente précédant l'action ; ceux-là répondent mal aux tests mettant en jeu des qualités instinctives, mais c'est parce qu'en eux l'intelligence peu à peu remplace l'instinct.

Pour nous, êtres humains, nous n'en sommes qu'aux débuts de l'évolution humaine, selon nos savants. Et souvent en nous la lutte est âpre entre notre volonté intelligente et ce vers quoi nous pousse un faux instinct, résidu de l'instinct magnifique qui autrefois nous gouvernait sans failles et qui maintenant, ayant rompu le contact avec les grandes lois naturelles, ne se manifeste plus que comme une pulsion à suivre nos désirs, à satisfaire nos besoins de plaisir, à éviter toute expérience désagréable et tout effort en général. La paresse, le manque de la volonté nécessaire à franchir le pont séparant l'inaction instinctive (qui devient active lorsqu'il s'agit de choses agréables !) de l'action naturelle et agréable parce que répondant aux nécessités de l'évolution, tout cela indique un besoin de régression, de protection, ressenti devant les choses nouvelles que la vie nous propose d'expérimenter afin que nous éprouvions le désir d'aller de l'avant, encore et toujours.

La nature soucieuse de notre progrès nous a tous pourvus de la volonté suffisant à nous permettre de vaincre nos instincts à présent dépourvus de toute qualité et pollués par nos conditions de vie. Cette bataille gagnée, nous apprendrons à contacter le grand réservoir des forces naturelles grâce auxquelles nous réapprendrons l'instinct, le vrai, celui qui ne se trompe jamais et ne peut que nous mener droit au but, mais nous le réapprendrons en toute conscience, volontairement : nous cesserons d'en être le jouet, la marionnette aux réactions stéréotypées que nous étions peut-être lors d'une évolution animale antérieure à notre statut humain. La différence est importante entre les deux situations, et actuellement nous nous situons tous quelque part entre les deux ; c'est pourquoi le plateau de la balance penche parfois en faveur de l'un, parfois de l'autre. À nous de décider dans quelle direction nous désirons marcher ; si nous choisissons la voie du recul, c'est notre liberté la plus complète et nul ne peut nous en faire le reproche, mais il faut alors accepter d'en assumer les conséquences, car la loi évolutive nous pousse sans cesse vers l'avant, et vous savez quel est le sort de l'âne qui refuse d'avancer : des coups de bâton !

Il est donc important d'apprendre à maîtriser cette « folle du logis » qu'est l'imagination laissée « la bride sur le cou ». Bien orientée, c'est elle qui permet de bien réussir les exercices d'autosuggestion, d'envisager toutes les conséquences d'une décision, de faire preuve d'adaptation à des situations nouvelles, inconnues mais que l'on peut cependant affronter grâce aux images que nous adressent cette importante qualité de l'esprit. D'elle naît le génie, et tous nous en avons au moins un peu en certains domaines particuliers : il serait intéressant pour vous de recenser les manifestations de ce génie en vous, car par son intermédiaire, vous auriez là un excellent moyen de canaliser votre imagination, de parquer en quelque sorte ce cheval sauvage afin de la dresser petit à petit jusqu'à ce qu'elle se soumette sans incartade à votre volonté lorsque vous en éprouverez le besoin. Peut-être savez-vous créer : ce peut-être la peinture, la musique, la sculpture, les artisinats de toutes sortes ; vous êtes peut-être bonne couturière, Madame, ou il se peut encore que votre génie créateur vous pousse vers le tricot ou la broderie ; ce peut être l'agencement de votre appartement, la composition d'un bouquet de fleurs ; ou le génie de découvrir la provenance des pannes de voiture, bien que ce ne soit pas votre métier ; il y a encore le bricolage, le génie de manipuler les chiffres, de faire preuve de psychologie spontanée envers les inconnus, de comprendre les enfants, ou les plantes, etc... Dénichez en vous cette qualité géniale qui fait que dans un certain domaine les choses vont toutes seules, que vous les apprenez sans effort, comme si vous les saviez déjà. Et ce domaine, cultivez-le avec soin, avec amour. Vous permettrez ainsi à votre volonté de dominer votre imagination, et peu à peu la paix s'installera en vous car le combat aura cessé entre les deux. Vous ne serez plus de ces vélléitaires qui ne réalisent jamais rien car votre imagination saura vous désigner les fruits de vos efforts, vous engageant ainsi à tenter l'aventure. Les Pommes d'Or du Jardin des Hespérides, c'est votre imagination qui vous les indiquera comme une conquête délectable digne de vos efforts, et votre volonté qui vous mène au but. Les deux oeuvrent en commun, s'aidant l'une l'autre.

Apprenez donc à mettre votre imagination au service de cette volonté que vous voulez plus vigoureuse. Tous les exercices indiqués précédemment contribuent à vous aider. Ne les négligez pas !

6) Ce que vous voulez être, vous pouvez l'être.

Nous allons immédiatement mettre en pratique cette coopération recherchée de l'imagination et de la volonté.

L'exercice que je vais vous décrire constitue une variante à vos exercices habituels d'autosuggestion, et vous pourriez le pratiquer au réveil à la place de l'ancien exercice. Conservez pour le soir la pratique de la suggestion, surtout n'arrêtez pas. Cette semaine (ou mieux, durant deux semaines) votre programme d'exercices sera donc le suivant :
— matin : exercice de visualisation de soi-même (5 à 10 minutes)
— dans la journée : l'acte gratuit (variable)
— avant de dormir : séance d'autosuggestion (10 à 15 minutes). Cela ne vous prendra que peu de temps, comme vous pouvez le constater. N'oubliez pas de respirer par le nez, même lorsque vous dormez : cela doit devenir un réflexe et vous y parviendrez si ce n'est déjà fait !

Voyons maintenant cet exercice de visualisation. Il s'agit ici, non plus de répéter des formules, mais de vous créer un cinéma intérieur, grâce à cette précieuse imagination bien contrôlée par votre volonté. En effet, vous devez apprendre à ne pas la laisser projeter n'importe quel film que réclameraient peut-être vos instincts, mais à choisir le film avec soin et en contrôler sans cesse les images.

Ce film en couleur et en relief, auquel vous participerez avec émotion afin de bien le graver en vous, vous en serez le héros, paré de toutes les qualités, entouré d'amis, heureux de vivre et libéré de toute entrave intérieure. L'action doit prendre place dans votre décor quotidien : soyez réaliste, ne vous permettez aucun enjolivement trompeur qui fausserait tout. Votre cadre de vie, votre travail, vos préoccupations, les personnes avec lesquelles vous êtes en contact (famille, travail, pompiste, épicier, amis,...) sont exactement semblables à elles-mêmes, comme vous les connaissez (au fait, les connaissez-vous bien ? Peut-être un petit effort dans ce sens serait-il instructif ?). Tout ressemble donc à votre vie quotidienne, excepté vous-même. Vous allez vous imaginer tel que vous voulez devenir : confiant en vous, décidé, résolu, intelligent, sensible, maître de vous, généreux, aimable, indépendant de l'opinion d'autrui mais toujours prêt à donner discrètement un coup de main, sans trace de timidité ni de paresse, prêt à agir dès qu'il le faut... Que le tableau soit aussi complet et précis que possible. Vous désirez cesser de fumer ? Durant votre visualisation, non seulement vous ne fumez plus et votre entourage vous le fait remarquer, mais encore vous expliquez votre succès à vos amis fumeurs afin de les aider. Regardez-vous affronter à tour de rôle toutes les situations qui vous étaient si pénibles il y a encore peu de temps (maintenant ça commence à mieux aller !), et que durant l'exercice vous affrontez avec un calme parfait, une totale maîtrise, beaucoup de naturel et avec succès.

Avez-vous un examen à passer dans quelques jours ? Créez en vous-même la réussite et votre comportement s'en ressentira ; voyez-vous devant l'examinateur, comme vous aimeriez être ; renouvelez souvent cette suggestion visuelle durant les jours qui vous restent, et surtout, jouez le jeu à fond, et croyez en ce personnage idéal qui vous ressemble.

Peu à peu, vous allez vous imprégner de ce nouveau comportement, et il rejaillira petit à petit dans votre vie de tous les jours. Il vous arrivera par exemple de constater après coup que vous avez pu vous exprimer sans problème en réunion sans ressentir la moindre intimidation. Ce sera la première d'une longue série d'heureuses découvertes.

Votre volonté n'est ici nécessaire que pour vous forcer à pratiquer régulièrement l'exercice, mais la visualisation de vous-même plein d'énergie et de force vitale, maître de votre imagination et de votre volonté, vous permettra en très peu de temps, de vaincre les derniers obstacles s'opposant à la réalisation de vous-même et de progresser beaucoup plus rapidement. La pratique des exercices précédents ayant déjà sérieusement déblayé votre terrain intérieur, la visualisation va vous permettre de le transformer en jardin plein de beauté et de plantes utiles. Ainsi il est bien vrai que ce que vous voulez être, vous pouvez l'être sans peine, par le biais d'un exercice agréable et sans effort.

7) Application pratique.

Lorsque vous serez bien entraîné, vous vous

préparerez par la visualisation à tout ce qui pourra se présenter en votre vie de difficile, de problématique ou d'impressionnant. Dans ce cas, vous vous poserez à vous-même le problème le soir avant de vous endormir, toujours en vous imaginant comme vous désirez être, mais en train de réfléchir à la meilleure manière de faire face à la situation ; et au réveil le lendemain, bien souvent la situation se présentera à votre esprit ; aussitôt vous l'appliquerez en une nouvelle visualisation dans laquelle vous agissez selon ces nouvelles données : cela peut vous montrer des aspects de la question auxquels vous n'aviez pas songé, ou éliminer la solution entrevue le matin. En ce cas, il vous faut recommencer jusqu'à ce que vous sachiez vraiment. De toute manière, le plus important, c'est ce que vous êtes, et lorsque vous serez devenu ce que vous voulez être (et vous le deviendrez) même la notion d'échec perdra beaucoup de son importance.

Et maintenant, promettez-moi d'appliquer tout ceci dès aujourd'hui ! Jouez le jeu, et laissez-vous guider. Je suis passée par les mêmes problèmes que vous, et ils sont à présent bien loin derrière moi. Alors, pourquoi pas vous ?

Chapitre VII

SURVEILLEZ VOTRE SANTÉ
ET
SOIGNEZ VOTRE APPARENCE

L'état de votre santé joue un rôle important sur votre psychisme et vos réactions nerveuses ; or, vous savez que tout est lié et qu'il vous suffit d'avoir mal digéré pour vous sentir d'une humeur exécrable. Conformément à ce qui a été dit précédemment, la tendance à la timidité est aggravée par un mauvais état nerveux qui rend plus difficile la maîtrise de soi. Il est donc très important de prendre tous ces détails en considération afin de vous aider plus efficacement à tout remettre en état en vous-même à la fois.

Il existe parfois une foule de petits points particuliers ayant trait à l'apparence physique, aux habitudes vestimentaires, à l'expression du visage et à la façon de se comparer et de s'exprimer, qui jouent un rôle parfois considérable dans la manifestation de la timidité. Il importe de les reconnaître et de les modifier en connaissance de cause. Ce sera le but de ce chapitre.

Pas d'exercice particulier cette semaine, si ce n'est de s'efforcer de mettre en pratique les conseils contenus dans les pages qui vont suivre. Pour le reste, vous devez poursuivre les exercices des jours précédents sans vous arrêter.

1) Faites le bilan de votre état de santé.

Ne commencez pas par sauter ce paragraphe sous le prétexte que vous n'êtes pas malade et que ça ne vous empêche pas d'être timide. Je n'ai pas dit que vous étiez timide *parce* que vous étiez malade, mais qu'une santé déficiente ne peut manquer d'aggraver votre tempérament de timide. Il y a des gens gravement malades leur vie durant qui possèdent une force de caractère leur permettant de dominer ce handicap. Vous même étant fragilisé sur ce plan, il n'en va pas de même et vous devez vous efforcer de rétablir une harmonie aussi parfaite que possible de votre santé physique, nerveuse et mentale.

Ce que l'on appelle « maladie » n'est en fait que la crise aigüe née d'un état morbide antérieur. L'absence de crise aigüe ne signifie pas obligatoirement que votre organisme est exempt de tout désordre. Voyons un peu cela ensemble, voulez-vous ?

a) Le système digestif — Digérez-vous bien ? Votre appétit est-il normal ? Éprouvez-vous parfois des lourdeurs, des somnolences après le repas ? Y a t'il des aliments que vous tolérez mal ou bien mangez-vous de tout sans problème ? Êtes-vous plutôt omnivore, ou bien n'êtes-vous attiré que par une liste réduite d'aliments ? Ressentez-vous le besoin de boire de l'alcool, du café, de fumer ? Pouvez-vous « sauter un repas » sans difficulté autre que... la gourmandise ? Normalement, vous devez sortir de table en vous sentant aussi léger de corps et d'esprit qu'avant le repas. Le besoin d'user d'excitants est toujours anormal, même en cas de labeur intense :

une nourriture bien équilibrée, si elle est bien assimilée par votre organisme et si les déchets en sont bien éliminés, doit vous apporter tous les éléments nécessaires au maintien de votre santé. Nous verrons tout à l'heure ce problème de la nutrition. Votre élimination est-elle normale, en qualité et en quantité ? Vous devriez normalement éliminer en vingt-quatre heures environ un litre et demi d'urines, (pour le vérifier, utilisez un bocal gradué qui vous sera prêté par votre pharmacien), et allez deux fois par jour à la selle.

b) Le sommeil — Ce point est très important. Dormez-vous suffisamment, c'est-à-dire entre sept heures et neuf heures par jour ? Le manque de sommeil est une cause fréquente de nervosité et d'irritabilité, et provoque à la longue toutes sortes de désordres physiologiques et psychiques. Votre sommeil est-il calme, profond, réparateur, ou bien vous réveillez-vous aussi fatigué (parfois plus) que lorsque vous vous êtes couché ?

Dans le cas d'un timide, il suffit parfois de plusieurs nuits de bon sommeil pour se retrouver plus assuré, moins impressionnable. Imposez-vous donc, surtout en ce moment, des heures de lever et de coucher fixes et raisonnables ; évitez le travail pénible ou trop intellectuel durant l'heure qui précède votre coucher ; que votre repas du soir soit léger : les lourdeurs digestives rendent pénible le sommeil, et un foie surchargé réveille souvent sur le coup des deux ou trois heures du matin ou bien est à l'origine de cauchemars.

Si vous éprouvez beaucoup de difficultés à vous endormir, prenez un bain tiède ou une douche que vous laisserez couler quelques minutes le long de la colonne vertébrale (cet exercice est un régulateur profond du système nerveux). Vous pouvez aussi mâcher une pomme (crue !) ou boire un verre de lait chaud légèrement sucré. Faites quelques respirations profondes devant votre fenêtre ouverte avant de vous coucher, et pensez à ne respirer que par le nez. Ajoutez à vos autosuggestions habituelles celles qui peuvent favoriser votre sommeil : « J'ai très sommeil, mes paupières sont lourdes et j'ai envie de bailler (baillez effectivement !) », « Je vais très bien dormir cette nuit et demain je me réveillerai en pleine forme et plein d'énergie », etc...

Un truc encore, très efficace : prenez une étoffe violette (coton, fil ou tout matériau naturel) et découpez dedans un rond, un rectangle (grand côté double du petit), et un carré. Vous placerez ces trois figures (leur taille importe peu, quelques centimètres suffisent !) sous votre oreiller. Le violet est une couleur émanant une vibration somnifère, et mêlé aux ondes de forme des trois figures géométriques, vous fera rapidement tomber en un profond sommeil. Une chambre à coucher devrait d'ailleurs toujours être en partie tendue de violet, jamais en totalité car le réveil serait rendu difficile : par exemple le plafond et le mur faisant face au lit seront violets, et le reste de la chambre revêtu d'une tapisserie s'harmonisant bien avec cette couleur. La chambre à coucher étant destiné au sommeil, il est étonnant de constater que bien souvent rien n'y est fait pour le favoriser ! Pourtant quel changement profond apporterait un sommeil paisible et réparateur au sein de toute une famille : que de tensions, de cris, de remue-ménage évités et que d'énergie, de calme et d'harmonie gagnés !

c) La respiration — La plupart des gens respirent mal et insuffisamment. Cela retentit malencontreusement sur tout l'organisme mais principalement sur le système nerveux et le cerveau. Une oxygénation insuffisante est une des principales causes de fatigue nerveuse et de difficulté de contrôle émotionnel. Il est donc primordial de s'exercer sans cesse afin d'augmenter la capacité pulmonaire et rendre habituelle la respiration profonde capable à elle seule de modifier profondément votre tempérament. Vous pouvez aussi travailler à l'aide d'un exerciseur, ou aller au gymnase, ce qui vous ferait vivre dans une ambiance tonique et revivifiante qui vous serait particulièrement profitable, ne serait-ce qu'une heure ou deux par semaine. De toute façon, il est indispensable de vous mettre devant la fenêtre (ou de sortir quelques minutes) plusieurs fois par jour et de pratiquer la respiration rythmée (voir chapitre V : l'autosuggestion) afin de renouveler l'air de vos poumons et de reconstituer votre capital énergétique souvent déficient, ce qui est la base de toute maîtrise de soi.

d) Système nerveux et état cérébral. Vous sentez-vous souvent abattu et sans force ni courage ? Ou parfois surexcité, incapable de tenir en place et irritable au possible ? L'effort vous répugne-t-il ? Sursautez-vous au moindre bruit ? Êtes-vous très sensible à la douleur et maîtrisez-vous très difficilement vos réflexes de crainte ou d'énervement ? Tout ceci se réfère à un épuisement nerveux qu'il vous faut corriger si vous voulez être le maître de votre existence. Pour cela, il faut noter l'importance de mener une vie saine et équilibrée. Nous verrons cela un peu plus loin.

Quant aux déficiences cérébrales comme le manque de mémoire, la difficulté de fixer son attention et les problèmes d'adaptation et de compréhension, elles sont, elles aussi, étroitement liées au mode de vie et à l'alimentation. Apprendre à ne pas gaspiller son énergie sans nécessité, c'est la mettre en réserve pour d'autres activités de l'esprit.

e) Système cardio-vasculaire — Rougissez-vous

ou pâlissez-vous facilement sous l'effet d'une émotion ? Les battements de votre coeur s'accélèrent-ils brutalement en certaines circonstances ? Avez-vous facilement les extrémités froides (pieds et mains) ? Tous ces symptômes indiquent une circulation déficiente. Vous l'améliorerez rapidement en exerçant votre activité pulmonaire et en désintoxiquant votre foie. Une hydrothérapie bien adaptée à votre cas peut vous être d'un grand secours, ainsi que des frictions quotidiennes à la lanière de crin sur tout le corps au moment de votre toilette matinale. Cette technique semble un peu pénible les premiers jours, mais on s'y habitue très vite et très vite aussi on ne peut plus s'en passer tant cela procure de bien-être au moment d'affronter la journée et met en forme. Vous constaterez rapidement aussi à quel point cela favorisera votre assurance.

2) **Nourissez-vous harmonieusement.**

Au premier plan se place ici le bon équilibre alimentaire. Vous êtes ce que vous mangez ; tous vos tissus, vos os, vos cellules nerveuses, cérébrales, sont constituées et renouvelées à l'aide des éléments apportés par votre nourriture. Il est donc très important de surveiller celle-ci attentivement, au lieu de vous contenter bien souvent de remplir l'estomac avec tout ce qui tombe sous la main au moment où la sensation de faim est ressentie. Si les autruches peuvent se le permettre (elles sont outillées pour !) ce n'est pas votre cas. Les trois-quarts des humains prennent un soin minutieux de leur automobile, choisissant le carburant le mieux adapté, faisant vidanges et graissages dès que cela est nécessaire (et même avant) ; il est ahurissant de constater que ces mêmes personnes consomment n'importe quoi, sans s'occuper des beoins de leur machine biologique, et ne prennent nullement garde à pratiquer les « vidanges » nécessaires lorsque le moteur s'encrasse, c'est-à-dire quand l'état morbide d'intoxication chronique dégénère en crise aigüe : la maladie ; elles attendent alors des miracles de comprimés pharmaceutiques détonnants qui ont pour mission de tout nettoyer en un minimum de temps et sans effort de la part du malade. Il ne faut pas s'étonner si après ce genre de « mauvais » traitement, l'organisme affaibli décide un jour d'abandonner un combat déloyal pour lequel on ne lui donne aucune des armes qu'il réclame.

Il faut donc en premier lieu bien étudier les besoins de votre organisme. La viande et ses dérivés deviennent à l'heure actuelle la nourriture de base : c'est une erreur énorme, car nous ne sommes pas conçus comme les carnassiers (denture faite pour déchiqueter, foie très volumineux pour détruire les purines, intestins très courts pour éliminer rapidement les déchets très toxique de la viande). Nous ne sommes pas plus des herbivores pourvus d'une panse adaptée aux besoins, d'intestins très longs et d'une denture permettant de mâcher longuement. Nous sommes conçus comme les frugivores qui, *COMME L'HOMME*, tiennent le milieu entre ces deux extrêmes, avec des dents faites pour croquer et mastiquer (et non pour déchirer la viande, c'est pourquoi on la cuit, ce qui est antinaturel !), un foie de volume moyen, incapable d'assurer complètement la protection de l'organisme contre l'envahissement des toxines dues à l'alimentation carnée (c'est pourquoi à l'heure actuelle près de quatre vingt dix neuf pour cent de la population souffre du foie, chroniquement, sournoisement parfois, jusqu'à ce que la maladie s'installe) ; et un intestin trop long pour éliminer les toxines assez rapidement ; celles-ci sont alors résorbées par la muqueuse intestinale et introduites dans la circulation sanguine au grand dommage de tous les organes avec lesquels elles entrent en contact.

C'est là le principal argument en faveur d'un régime à large prédominance lacto-végétarienne, composé de fruits frais, de légumes crus et cuits, de céréales (complètes si possible : farine complète, pain complet, blé, riz non décortiqué) qui amènent à l'organisme toutes les vitamines et sels minéraux indispensables, d'une façon naturelle et assimilable, évitant ainsi les carences du régime dit « normal » composé de produits dénaturés, morts, raffinés à l'extrême, ce qui leur a enlevé toute qualité.

Ajoutez des produits laitiers en quantité raisonnable, n'abusez pas des oeufs qui sont trop riches en cholestérol et fatiguent le foie. Utilisez des huiles vierges, non raffinées, de première pression à froid (magasins de diététique), qui apporteront à votre organisme toutes les qualités des graines dont elles sont extraites. Il est illusoire de croire que, par exemple, l'huile de tournesol habituelle possède encore la moindre trace des propriétés anti-cholestérolémiques de la graine de tournesol ; songez que ces graines sont pressées à haute température (donc plus de vie !), puis passées au trichloréthylène afin d'en extraire toute l'huile ; on fait ensuite évaporer le trichloréthylène et il faut désodoriser le produit obtenu ; on obtient alors un jus noirâtre du plus mauvais effet qu'il faut décolorer, recolorer d'un beau jaune d'or, et que l'on parfume enfin chimiquement avant de l'étiqueter : « huile pure de tournesol » !

L'huile vierge de première pression à froid n'est obtenue que par simple pression des graines, ce qui laisse toutes ses qualités et son parfum naturel qui étonne au début. Enfin, le sucre de canne roux non raffiné s'utilise comme le sucre blanc habituel, mais sans en présenter la nocivité.

Accordez donc la prédominance à ce régime, en diminuant votre consommation de viande et de conserves au profit de ces aliments vivants, propres à entretenir votre corps en bonne santé. Achetez un bon livre traitant de l'équilibre alimentaire dans un magasin de diététique, et abandonnez progressivement les funestes habitudes qui ruinent votre santé physique et mentale.

Pour moi, je suis devenue végétarienne à la suite d'une grave maladie, il y a plusieurs années et les résultats sont concluants. Quant à ma petite fille, elle n'a jamais goûté à la viande ni au poisson et s'en porte fort bien : elle n'a jamais été malade en cinq ans, n'a jamais avalé le moindre médicament et peut jouer impunément avec un petit rougeoleux, comme j'en ai fait un jour l'expérience. Alors, pourquoi ne pas essayer d'adapter votre nourriture aux grands principes naturels qui peu à peu ramèneront en vous la bonne santé et la joie de vivre ?

3) **Vivez sainement.**

Équilibrez vos journées entre le temps nécessaire au sommeil, le travail, la détente et l'activité de plein air quotidienne nécessaire à votre équilibre nerveux. Le jardinage est la meilleure des pratiques à ce point de vue, car outre le travail musculaire, jardiner vous met en contact avec la terre, ce grand réservoir de magnétisme et de vie, et vous apprend à contacter les grands lois naturelles auxquelles vous devez vous-même vous soumettre si vous voulez mener une vie harmonieuse.

Les grande règles de la santé sont simples :
— un temps de sommeil suffisant ; se coucher tôt et se lever tôt.

— une hygiène scrupuleuse, sans excès cependant : il est par exemple néfaste de prendre un bain tous les jours (si les circonstances ne nous y obligent pas), car beaucoup de gens y laissent une bonne part de leur vitalité, l'eau ayant un pouvoir absorbant très important au niveau des énergies ; si vous vous sentez las après le bain, espacez-en la fréquence et remplacez-le par une douche rapide. Évitez aussi les produits trop détergents qui ne permettent plus à la peau de secréter son enduit protecteur.

— Prenez vos repas à heure fixe, cela équilibrera votre système digestif. Évitez les repas trop fréquents et trop abondants. Lorsque l'organisme est bien désintoxiqué et que l'assimilation se fait bien, deux repas par jour sont amplement suffisant. Grignoter toute la journée fatigue inutilement le corps. Pour l'instant, limitez-vous à trois repas : un petit déjeuner composé de fruits, laitages et céréales, un repas à midi, le plus complet de la journée, et un diner léger : fruits, légumes, fromage. Réservez la viande ou le poisson pour le repas de midi, si vous en mangez encore. Le soir, le pouvoir excitant de la viande pertuberait votre sommeil ou le rendrait moins réparateur. Et surtout, mangez tranquillement, en pensant à ce que vous faites et en mastiquant soigneusement. C'est la première condition d'une bonne digestion.

— Faites vos exercices de respiration plusieurs fois par jour.

— Restez calme, réglez votre emploi du temps afin d'éviter dans la mesure du possible toute précipitation et tout énervement préjudiciable aussi bien à la perfection de votre travail qu'à vous-même.

— Faites toujours aussi bien que possible ce que vous avez à faire.

— Faites un peu de sport. Pratiquer un sport d'équipe est pour un timide un excellent moyen de reprendre confiance en soi et de s'harmoniser.

— Évitez les spectacles et les lectures de caractère violent, qui mettent en jeu vos capacité émotionnelles, alors que vous apprenez en ce moment à les maîtriser.

— Abstenez-vous de tout excès, le surmenage ne mène à rien, pas plus que le manque d'activité qui fatigue plus qu'un travail régulier et bien fait. En ce qui concerne les plaisirs quels qu'ils soient, ils perdent leur charme lorsqu'on en abuse et provoquent une déperdition considérable d'énergie nerveuse. Abuser des plaisirs de la vie équivaut aussi à vivre égoïstement et en suivant toujours le cours de ses passions, ce qui est, nous l'avons vu, préjudiciable à tout changement dans un sens évolutif. Le plaisir épuisé laisse d'ailleurs toujours place à des désagréments à la mesure du non-respect des lois de la vie. Cette attitude ne mène donc jamais au bonheur et à une vie riche et réussie.

— Évitez aussi la fréquentation des gens agités, des anxieux, des mélancoliques, qui ne pourront que vous décourager ; rencontrez plutôt des gens actifs, joyeux, vivants, possédant les qualités (ou au moins quelques unes !) que vous désirez développer en vous.

— Apprenez à ne vous laisser submerger ni par la colère, ni par les échecs ou les difficultés de l'existence. C'est là un lot commun à tous, seule diffère l'attitude prise pour affronter les problèmes et de là dépend le résultat. Analysez avec soin les données, détendez-vous, allez vous promener, et soyez sûr que la solution est inhérente à tout problème, comme dans une grille de mots croisés : il ne tient qu'à vous de savoir la trouver ; la crispation et l'énervement ne vous y aideront jamais. Alors soyez calme, positif, confiant et tout s'arrangera pour le mieux.

— Et pour maintenir et améliorer votre santé, songez que la nature vous donne tous les moyens : soleil, mer, eau, plantes, terre, air, lumière. Ne craignez pas d'en user !

— Enfin, soyez souriant, positif,... et voyez le bien en toute chose. En toute circonstance, jouez au jeu de Pollyanna, et apprenez ce jeu à vos amis, à ceux que vous voulez aider. Nous sommes sur terre avec *en nous* tout ce qu'il faut pour être heureux, ne l'oubliez pas. Et cela n'a rien à voir avec notre compte en banque, notre position sociale ni le nombre de nos automobiles ou le luxe de nos vêtements. Observez les gens autour de vous, vous vous en persuaderez bien vite !

4) Soignez votre allure extérieure.

Nous avons vu que l'allure extérieure, la façon dont on est vêtu, le sentiment que l'on a de son apparence, sont des facteurs importants de l'aisance... ou de son contraire.

Vous allez donc, cette semaine, prêter une plus grande attention à ces « petits détails sans importance » (selon certains) qui pourtant auront leur mot à dire dans votre victoire finale.

a) L'attitude. Regardez un peu autour de vous ; vous constaterez que l'attitude du corps est souvent le reflet exact de la personnalité profonde ; celui qui se tient voûté, comme courbé sous le poids d'une existence lourde à traîner, attire peut-être notre pitié si réellement ses conditions de vie sont pénibles, mais plus souvent provoque une certaine irritation par son refus d'être heureux et l'égocentrisme qui le fait sans cesse tourner son regard vers lui-même. Un tel homme n'attire pas la confiance et se retrouve forcément seul un jour ou l'autre. Ne soyez pas ainsi. Sachez que l'attitude du corps est en relation étroite avec les émotions ressenties, dans un sens comme dans l'autre. Cela signifie que si un sentiment d'angoisse se fait jour en vous, il va agir sur les muscles et provoquer l'attitude physique correspondante ; mais cela signifie aussi que si à ce moment-là, volontairement, vous forcez votre corps à exprimer le calme et la décontraction, une certaine paix vous envahira qui dissipera ce qu'il y a d'excessif et d'inutile dans votre angoisse. C'est là quelque chose de très important.

« Depuis longtemps, les observateurs ont remarqué que la manifestation extérieure, l'expression d'un état affectif, réalisée artificiellement, ne tarde pas à provoquer l'état affectif lui-même auquel elle correspond ». (Dr. Paul Hartenberg : Les timides et la timidité).

À cette règle, il est une exception comme dans le cas de toute bonne règle : ce sont les artistes, capables d'exprimer des passions, des sentiments violents, sans pourtant en être affectés.

Ainsi Sarah Bernhardt était-elle capable de pleurer chaque soir toutes les larmes de son corps au point de pouvoir à peine parler dans une scène déchirante de « Jeanne d'Arc »», « tout en conservant un pouvoir mental absolu » (R. Hahn). Les exemples de cet ordre abondent dans le milieu artistique. Mais pour nous autres, le problème se pose différemment, le but étant d'harmoniser les réactions intérieures d'ordre émotionnel, et non de les provoquer.

La technique en est simple et efficace dans tous les cas. Le travail se fait en deux temps : l'un d'annulation, l'autre de provocation.

Le premier temps (annulation) a pour but de réprimer, d'interdire tout mouvement, toute expression correspondant aux émotions que nous voulons réduire à néant.

Le second temps (provocation) est destiné à créer des attitudes évocatrices de l'assurance et de la fermeté que nous désirons obtenir.

Dans votre cas, vous savez comment se manifeste extérieurement votre timidité, l'indécision, le manque d'assurance, la crainte, le trac. Ainsi en schématisant, l'homme timide se tient souvent mal, voûté, tête penchée en avant ; sa démarche est hésitante et ses gestes maladroits, peu nombreux et manquant d'amplitude ; il s'assied au bord des sièges, se ramasse sur lui-même dans le désir de se rendre aussi peu visible que possible et de ne pas attirer l'attention ; il ose à peine regarder les gens et donne l'impression de fuir les regards ; quant à sa voix, on l'entend à peine, quand encore il ne se met pas à bégayer d'émotion ou à bredouiller des phrases dans lesquelles les mots s'emmêlent inextricablement.

Vous travaillerez donc, dans un premier temps, à supprimer de vos automatismes les mouvements extérieurs correspondants aux attitudes typiques de la timidité, afin de n'en plus donner le spectacle à vos interlocuteurs... ni surtout à vous-même, car il s'agit bien là d'une véritable autosuggestion par les gestes.

Vous vous exercerez ensuite à remplacer ces attitudes par leur contraire, afin de faire naître, fortifier, renforcer les qualités que vous vous efforcerez de développer en vous. Dans ce but, voyons schématiquement quelles sont les attitudes qui caractérisent l'assurance et la maîtrise de soi de l'homme normal.

Pour vous, lorsque vous vous sentez sur le point de céder à un sentiment de timidité, surtout ne laissez pas votre corps s'affaisser : au contraire redressez-vous sans brusquerie, respirez profondément et détendez vos muscles crispés. Surtout évitez tout geste inutile, car bien souvent les gesticulations nous mènent au-delà de notre sentiment. Affectez la plus grande aisance. Ne craignez pas d'exagérer ces attitudes nouvelles, car ce qui semble exagéré à un timide habitué à sa manière d'être est parfaitement naturel aux yeux des autres. Jouez donc le jeu.

Pour ce faire, vous pouvez aussi vous exercer seul chez vous devant une glace. Affectez l'attitude timide et empruntée qui vous est habituelle en certaines circonstances, pour bien vous observer et voir les détails sur lesquels va surtout porter votre effort. Ensuite, mimez l'assurance, la fermeté, la décision. Cherchez surtout à « jouer vrai », comme un bon comédien répétant un rôle : marchez, asseyez-vous, bougez, parlez ou lisez à haute voix, n'omettez aucun détail. Lorsque vous aurez bien travaillé votre nouveau personnage, vous continuerez ce travail devant vos amis, à leur insu ; vous gagnerez ainsi de plus en plus d'assurance. Il vous faudra rechercher le plus d'occasions possibles de voir du monde, de vous trouver en présence d'inconnus.

Ainsi, peu à peu, vous vous imprégnerez de votre personnage et il finira par prendre corps en vous, par *être* réellement. Cet exercice complète harmonieusement l'exercice de visualisation de vous-même donné auparavant. Le principe en est le même, mais concrétisé.

Un autre exemple : sentez-vous la colère naître en vous, si vous vous imposez l'immobilité, des gestes calmes, une voix douce, votre irritation se calmera aussitôt. Si au contraire vous vous mettez à gesticuler, à crier, vous en arriverez vite à perdre tout contrôle de vous-même et vos paroles dépasseront vite votre pensée. Un psychologue, William James, écrivait dans son « Précis de Psychologie » : « Refuser d'exprimer une passion, c'est la tuer. Comptez jusqu'à dix avant de manifester votre colère, et vos raisons de vous fâcher vous paraîtront ridicules. Siffler pour se donner du coeur n'est pas une simple figure de rhétorique ! »

b) Les gestes. Outre le langage, l'homme pour s'exprimer dispose aussi des gestes et des expressions du visage. Le geste est ainsi le complément de la pensée, que nous pouvons séparer en deux catégories : les mouvements volontaires et ceux involontaires.

Ces derniers sont dûs au manque d'indépendance musculaire qui projette les émotions de l'intérieur vers l'extérieur. C'est le cas des nerveux, des impulsifs, qui s'expriment plus par leur corps que par la parole ; ce peut-être aussi la conséquence d'une paresse intellectuelle et d'un esprit incapable de faire l'effort nécessaire à l'expression de sa pensée. Les sentiments, les émotions agissent alors sur les muscles du visage qui se contractent ou se relâchent au rythme des pensées.

Certaines personnes seules ne peuvent s'empêcher d'exprimer leurs pensées à haute voix ; d'autres remuent les lèvres en lisant. Dans ces cas, les organes de phonation eux-mêmes sont mis en mouvement par sympathie.

Il convient de supprimer ces mouvements inutiles qui occasionnent une importante déperdition d'énergie et ralentissent d'autant le fonctionnement cérébral. C'est pourquoi, si vous étudiez les techniques de lecture rapide, le premier conseil qui vous est donné est-il de prendre conscience de ces mouvements inconscients dans le but de les supprimer : le fait de remuer les lèvres en lisant, ou même simplement de constater une vibration des cordes vocales en posant la main sur la gorge au cours d'une lecture. À partir du moment où ces mouvements sont supprimés, la vitesse de lecture s'accroit, n'étant plus liée à la phonation. Ce n'est là, bien sûr, que le tout premier pas, mais important.

Les associations de mouvements sont plus fortes et plus nombreuses chez l'être fruste, esclave de ses impulsions. Celui qui développe ses facultés, s'éduque, devient maître de lui-même, voit les mouvements automatiques disparaître peu à peu. La mémoire permettant l'apprentissage d'un large vocabulaire laisse alors la pensée s'exprimer sans qu'il soit nécessaire de recourir aux gestes.

Voulez-vous faire une petite expérience pour vous convaincre que les gestes suppléent à l'insuffisance des moyens verbaux ? Demandez à vos amis de vous expliquer ce qu'est une manivelle. Vous les verrez presque tous « bafouiller » puis esquisser le mouvement de faire tourner la manivelle ; leur cerveau n'ayant pas fourni à temps les mots nécessaires, le geste y supplée !

Les mouvements volontaires sont au contraire d'un grand secours lorsque l'on a appris à s'en servir à propos et avec mesure. On peut, par les gestes de la main, souligner sa pensée, la corriger, la nuancer d'une manière que les mots seuls ne permettraient pas toujours. Mais il s'agit toujours alors de mouvements contrôlés, calmes et positifs. Les gestes désabusés, ou teintés de colère, ou ceux qui tendent à exprimer des émotions intenses, devraient toujours être soigneusement contrôlés ; s'il est très bon, dans certains cas, de se laisser aller spontanément à certains sentiments, il en est qui n'ont pas droit de cité : ainsi la colère, le désespoir, la peur, la jalousie, l'envie, la méchanceté, la mélancolie..., car si on les laisse s'installer, ils ne pourront que nous plonger davantage dans des domaines qu'au contraire il faut apprendre à considérer d'un peu plus loin au lieu de s'identifier toujours à ces mouvements passionnels primitifs.

Quant aux mains elles-mêmes, bien souvent les timides en sont fort embarassés, ne sachant qu'en faire. Les cacher dans ses poches n'est pas toujours souhaitable, non plus que les mettre sur les hanches ce qui est pire encore. Au début vous pouvez user d'accessoires destinés à vous occuper les mains, tant que vous ne savez pas encore les utiliser à votre service ; tout objet familier qui occupe les doigts détourne l'attention et déclence alors les mouvements automatiques qui peuvent suffire à ramener en vous le calme. Ainsi, les lunettes, sacs ou pochettes, les porte-documents ou les cigarettes. Combien de personnes parmi toutes celles qui se promènent d'un air sérieux avec un attaché-case au bout du bras, n'en ont strictement aucun besoin ! Mais cette petite valise leur donne un air sérieux, important, et publie à tous le fait qu'ils « travaillent et occupent un poste de responsabilité », puisqu'ils ont des papiers avec eux !

Il faut encore distinguer soigneusement les mouvements involontaires des gestes automatiques. Ces derniers sont fort précieux lorsqu'ils ont été acquis volontairement au cours de nombreuses répétitions, car ils peuvent se mettre en marche malgré l'émotion la plus intense et le plus profond état de confusion mentale. Ils se déroulent alors inconsciemment mais avec exactitude. C'est grâce à ce phénomène qu'un pianiste virtuose atteint de trac peut avoir l'impression affreuse d'avoir complètement oublié certains passages d'une composition musicale et malgré cela l'éxécuter correctement parce que ses doigts auront retrouvé tout naturellement les mouvements nécessaires à l'exécution de l'oeuvre.

Il est très utile à un timide de se créer ainsi certains automatismes qui sauront prendre le relais d'un esprit perturbé par l'émotion. Il s'agit là en fait d'un dressage. Acquérir de l'aisance en public, savoir se présenter, s'avancer dans un salon bien éclairé, s'asseoir, se lever, accepter un rafraîchissement, tout cela demande simplement un bon entraînement méthodique. Trop souvent, la timidité ressentie dans ce genre de situation ne provient que d'un manque de connaissance pratique du savoir-vivre élémentaire. Quelques cours de maintien et un bon livre sur ce sujet peuvent rapidement venir à bout de cette difficulté. Si une personne timide se sent observée alors qu'elle marche, elle perd aussitôt son aisance et se raidit, parce qu'elle cherche à contrôler sa démarche au lieu de rester naturelle ; il est bien évident que cela dénote une insécurité, le sentiment de ne pas savoir *bien* marcher, qui disparaîtraient sans laisser de trace avec un peu d'entraînement. Si vous vous sentez sûr de l'harmonie de votre démarche, le fait qu'on vous observe n'aura sur vous aucune influence en ce domaine.

Ceci se retrouve dans l'analyse de bien des situations intimidantes et le remède en est fort simple : apprenez à fond la technique de cet ensemble de mouvements, ce qu'il faut faire ou ne pas faire, puis entraînez-vous à la pratiquer un grand nombre de fois, afin de graver en vous l'automatisme qui saura se mettre en route chaque fois que l'occasion s'en présentera. Cet entraînement ne comportera pour vous aucune difficulté et vous rendra de multiples services.

5) L'expression de votre visage.

Ce qui vient d'être dit au sujet des mouvements et des attitudes se retrouve avec encore plus d'intensité lorsqu'il s'agit des mimiques et des expressions. Un visage peut être lu comme un livre ; ce peut être une aide dans l'expression des idées et des sentiments, et un visage animé et expressif est en général très attirant et sympathique alors qu'un visage toujours fermé, impassible, sur lequel nul émoi ne se peut jamais lire, a quelque chose d'inquiétant qui nous fait traiter son malheureux propriétaire de « porte de prison » !

Ceci est à distinguer d'un visage sur lequel on peut *tout* lire, car la moindre idée, la moindre crainte y transparaissent simultanément à ce qui est vécu intérieurement. Un tel visage est gênant, car rien ne peut être gardé secret, et l'on sent aussitôt que l'on est en présence d'un être incapable de la moindre maîtrise de lui-même et généralement le jouet de ses passions et de ses émotions. Ne lui ressemblez pas, on ne vous estimerait guère.

Un visage expressif l'est volontairement, c'est là toute la différence. Apprenez devant une glace à exprimer des sentiments divers. Et souriez, souriez ! C'est là l'arme de choix pour vous. Vous vous sentez crispé, vous avez le trac : souriez volontairement, seul, ou à celui qui passe. Vous avez des ennuis, souriez devant votre glace, en essayant de trouver l'expression la plus naturelle possible ; vous verrez les choses en vous se remettre étrangement à leur place en reprenant de justes proportions.

Si quelqu'un vous agresse, vous parlant sur un ton d'intimidation, souriez-lui gentiment : le résultat est immédiat et votre adversaire se calme aussitôt, car votre sourire l'empêche de tenter de vous inférioriser et c'est lui au contraire qui prend le mauvais rôle ! Mais attention à ce qu'il n'y ait pas trâce d'ironie dans votre sourire, car alors vous courriez le risque d'une splendide explosion de colère !

6) **Comment vous comporter en public.**

Il est surtout important d'analyser avec soin à l'avance la situation exacte que vous aurez à affronter. Posez-vous quelques questions :
— s'agit-il d'une simple réunion d'amis que je connais bien ?
— ou alors d'une réunion à caractère officiel ?
— à quel titre serai-je présent ? Qu'attend-on de moi ?
— quelles sont les règles de savoir-vivre que je dois connaître en ce cas particulier ?
— serai-je seul ou accompagné ?
— aurai-je l'occasion de prendre la parole ? Et de quoi parlerai-je ?
— quels vêtements faudra-t-il porter ? etc...

Apportez à ces questions des réponses claires et précises qui brosseront pour vous le tableau exact de ce qui va se passer. En vous y préparant par l'exercice des automatismes et de l'autosuggestion, vous ne pourrez que bien vous en tirer.

Refusez-vous maintenant avec la dernière énergie de laisser se manifester en vous timidité et toute attitude plus ou moins infantile : vous pouvez et devez rester maître de la situation, et vous comporter sans que nul ne puisse deviner vos problèmes, même s'ils vous gênent encore un peu parfois. Soyez ferme avec vous-même :

conduisez votre machine, ne vous laissez pas emporter par elle, même si cela semble moins fatiguant, cela risque fort de se terminer dans un arbre... ou un fossé !

Dans la rue, cessez de considérer que vous êtes le pôle d'attraction de tous les passants ; nul ne fait attention à vous car tous sont concentrés sur leurs propres problèmes... et se croient eux aussi observés : la situation ne manque pas de comique, ne trouvez-vous pas ?

N'évitez pas non plus de participer aux conversations, quel qu'en soit le thème. Il ne s'agit pas de parler à tout prix, au contraire, car si l'on n'a rien à dire, la seule attitude intelligente est le silence ; mais il faut oser s'exprimer chaque fois que cela se présente, afin d'acquérir de l'assurance en ce domaine. Surtout ne restez pas silencieux et ramassé sur vous-même dans votre coin, avec l'attitude d'un enfant pas très éveillé qui écouterait parler de grands savants ! Observez des timides, cela vous guérira de leur ressembler !

Si vous avez scrupuleusement suivi les conseils que je vous ai donnés depuis le début de ce livre, vous devez déjà n'avoir plus guère de problèmes de ce genre à affronter. Parfois pourtant, les vieilles tendances peuvent reparaître, c'est pourquoi il est utile de traiter aussi des détails pratiques pouvant permettre de se reprendre en main rapidement et efficacement.

7) Les vêtements.

Vous avez déjà pu constater qu'une tenue soignée, un costume adapté aux circonstances, des cheveux bien coiffés, et si vous êtes une femme un léger maquillage qui dissimule les petites imperfections de votre visage, vous donnent une assurance et un aplomb inhabituel. Durant ces quelques semaines de « cure anti-timidité », vous devez mettre tous les atouts de votre côté et profiter de la moindre opportunité qui vous est offerte pour gagner de l'assurance. Songez que chaque victoire renforce considérablement votre maîtrise toute neuve, la confiance en vous et la force d'âme. Il faut donc chercher à remporter le plus grand nombre de victoires possibles qui vous prouveront mieux que des mots, ce dont vous êtes capable... et vous pouvez beaucoup car comme tout homme, vous recèlez des ressources illimitées. Il suffit d'entraîner votre volonté afin de continuer à creuser patiemment.

Vous allez donc prendre grand soin de votre toilette : respectez une hygiène scrupuleuse, soyez toujours propre. Apprenez à soigner la peau de votre visage : une peau fraîche et souple est agréable à regarder, alors qu'un teint gris et maladif vous autosuggestionne négativement lorsque vous vous regardez dans une glace, et fait de même vis-à-vis des autres. Si vous êtes en mauvaise santé, voyez un médecin et suivez les conseils donnés dans le chapitre précédent. Si tout va à peu près bien, soignez mieux votre peau, même vous Monsieur ! Savez-vous qu'un grand verre d'eau minérale additionnée d'un jus de citron (extrait d'un « vrai » citron, pas en conserve) pris chaque matin à jeun au lever non seulement vous met en forme, mais nettoie votre foie et améliore le teint. Attendez si possible une demi-heure avant de prendre votre petit-déjeuner. Un teint brouillé provient souvent d'un mauvais fonctionnement intestinal, dans ce cas, une cuillerée à soupe d'huile d'olive vierge de première pression à froid émulsionnée avec quelques gouttes de jus de citron et prise la matin à jeun rétablira en quelques jours cette fonction défectueuse. Quand aux poches sous les yeux, elles sont liées à un mauvais fonctionnement rénal ; il faut alors limiter votre consommation de sel (votre visage sera moins gonflé au réveil) et boire dans la journée des tisanes adaptées à votre cas et que vous pourrez vous procurer chez un herboriste.

Pour les autres soins, il existe à l'heure actuelle d'excellents produits qui vous aideront à corriger une peau trop sèche ou trop grasse. Ne tombez cependant pas dans l'excès : une lotion désincrustante, une crème de soin, un lait de toilette ou un bon savon, pourvu qu'ils soient de bonne qualité et de fabrication aussi naturelle que possible, suffiront à vous redonner un joli teint.

Pour vos cheveux, qu'ils soient toujours soignés. Rien qui ne mette plus mal à l'aise que de se savoir les cheveux sales ou encombrés de pellicules. Une coiffure seyante, simple et naturelle convient en toute circonstance. Évitez les « constructions » trop élaborées (sauf occasions exceptionnelles) qui vous font paraître endimanché le jour où vous sortez de chez le coiffeur. Vous seriez tout aussi mal à l'aise devant les regards que si vous aviez omis de vous coiffer le matin !

Quant aux vêtements, qu'ils soient toujours impeccables, que vous portiez un jean ou une tenue de soirée. Apprenez à vous vêtir harmonieusement, selon votre conformation personnelle et non seulement selon la mode. Celle-ci nous laisse d'ailleurs à notre époque toute liberté pour improviser notre costume. Profitez-en ! Pour cela demandez conseil soit à des amis dont vous admirez l'habileté à choisir leur vêtement, soit à une bonne vendeuse à laquelle vous pourrez expliquer votre problème en quelques mots. Et si l'on vous propose de choisir des vêtements tout-à-fait différent de ce que vous avez l'habitude de porter, ayez le courage d'accepter. Au bout de quelques jours vous vous y serez habitué et ils ne vous choqueront plus.

Un conseil cependant : vous devez par exemple, vous rendre à une soirée, une cérémonie et vous avez décidé d'étrenner pour l'occasion une toilette toute neuve. Il est alors préférable de la porter chez vous pendant quelques heures avant de vous produire en public ainsi vêtu (ou vêtue). Il faut en quelque sorte vous adapter à votre vêtement, en apprendre les limitations du mouvement, vous sentir bien dedans. Vous saurez ainsi bouger, vous déplacer avec naturel et aisance, alors que si vous vous étiez concenté de l'enfiler juste avant de partir, votre allure aurait automatiquement quelque chose d'emprunté qui vous ferait paraître endimanché et déguisé. Les acteurs pratiquent très souvent cela ; porter un costume chez soi en continuant à agir comme d'habitude, permet de mieux entrer dans la peau de son personnage et de se sentir en unité avec le costume qui devient ainsi partie intégrante du personnage à interpréter.

Ce conseil est valable aussi pour les chaussures dans lesquelles vous vous sentirez mieux si elles ont déjà été portées quelques jours.

Ne choisissez pas au hasard non plus la couleur de vos vêtements. N'oubliez pas que plus la couleur est claire, plus elle accentue l'embonpoint tandis que les couleurs sombres amincissent. De même les rayures longitudinales affinent la silhouette et les rayures transversales étoffent les personnages trop minces. Ce sont des règles élémentaires que beaucoup de gens ignorent. Portez des couleurs avec lesquelles vous vous sentez en harmonie.

Savez-vous que le rouge est favorable aux personnes anémiques, rachitiques et manquant d'énergie ; tandis que le bleu, le vert, l'indigo, conviennent aux individus sanguins, obèses, aux rhumatisants et aux arthritiques qu'elles apaisent ; ces couleurs sont aussi favorables au bon équilibre psychique. Le jaune et l'orange conviennent bien aux personnes bien équilibrées ; l'orangé dynamise ceux qui sont trop calmes et trop indolents.

Dans son « traité des couleurs », Goethe écrit : « Pour atteindre la perfection dans l'art du coloris, l'artiste doit considérer les effets moraux des couleurs, leurs effets physiologiques, leur nature technique, enfin l'influence qu'exercent sur elles les circonstances extérieures. Les couleurs agissent sur l'âme, elles peuvent y exciter des sensations, y éveiller des émotions, des idées qui nous reposent ou nous agitent et provoquent la tristesse ou la gaîté. »

Évitez principalement deux fautes dans le choix du vêtement que vous allez porter : si vous êtes en tenue de soirée tandis que les autres sont en costume de ville, votre soirée sera gachée tout autant que si c'est le cas contraire qui se présente. Je me souviens d'une invitation par l'intermédiaire d'un ami commun, à me rendre à une petite fête chez des gens que je ne connaissais pas encore, un dimanche de printemps il y a quelques années de cela. Aucune indication ne m'ayant été donnée et connaissant leur position sociale, je me vêtis avec soin d'une robe courte « habillée », coiffure soignée, accessoires choisis en rapport avec le reste... pour me retrouver au milieu d'une bandes de jeunes gens uniformément vêtu de jeans et de pullovers fort décontractés et assis par terre dans le jardin pour préparer un barbecue ! Non seulement ma robe en souffrit passablement, mais la journée fut pour moi gachée, ma tenue ne me permettant pas la liberté de mouvement nécessaire pour bien participer à l'activité spéciale de ce dimanche-là. Je puis vous assurer que depuis cette expérience (à une époque où j'étais encore timide !), je ne me rends plus à une invitation sans m'être bien renseignée auprès de la maîtresse de maison sur le genre de toilette qu'il serait séant de porter.

Et si par malchance, ce genre de mésaventure se présentait un jour, essayez de trouver une excuse valable, un prétexte même inventé de toutes pièces, qui puisse une fois exprimé vous débarasser de ce souci. Dites par exemple : « Excusez-moi de me présenter avec ce costume, je dois me rendre (ou je viens de me rendre à une cérémonie et je n'aurai pas le temps de retourner chez moi me changer, etc... » Ou bien, si votre toilette n'est pas assez habillée : « Excusez-moi, au moment de partir j'ai renversé du café sur ma robe ; j'ai préféré venir ainsi que me priver du plaisir d'être avec vous... » Surtout expliquez-vous d'un ton désinvolte, avec aisance, comme s'il s'agissait vraiment d'un détail sans importance et que vous considériez l'intelligence de vos hôtes suffisante pour que leur esprit ne s'arrête pas à ces détails mesquins de coutumes mondaines.

Il se peut aussi que vous ne constatiez une défectuosité de votre toilette qu'une fois arrivé : accroc, bouton manquant, tache... Sachez que les autres ne s'en apercevront certainement pas, car la plupart des gens sont fort peu observateurs. Si pourtant il vous semblait que quelqu'un l'ait remarqué, vous pouvez préciser que l'incident s'est produit en descendant de voiture par exemple. Le plus important, c'est de ne pas s'obnubiler sur ces détails, de trouver le moyen de s'en dégager au plus vite, afin de ne pas se gacher le plaisir de la réunion, ni le gacher à d'autre qui vous verront promener partout une « mine d'enterrement », sombre et renfrogné.

Pour en finir avec les vêtements, apprenez à ne pas vous laisser impressionner par celui des autres. Cessez d'identifier l'habit et la personne. Détournez votre attention des accessoires dont s'entourent les gens : bureau, cigare, luxe, attitude imposante, et apprenez à rencontrer l'être humain qui se cache derrière tout cela et qui n'a *aucune* raison de vous en imposer. Vous vous débarasserez vite de ce faux problème !

Chapitre VIII

L'ART DE PARLER EN PUBLIC

Tout homme peut un jour ou l'autre être mis dans l'obligation de faire un exposé, une conférence, animer un groupe, ou simplement avoir à s'exprimer au sein d'un débat. De toute manière, il est nécessaire d'apprendre à s'exprimer le plus clairement possible ses idées et à ne plus trembler d'avoir à participer à la conversation générale lors d'un repas entre amis. Dans ce chapitre, nous allons examiner ensemble ce problème posé par l'expression orale.

1) **Apprenez à vaincre la peur et à maîtriser votre imagination.**

Je prendrai surtout comme modèle au cours de cette étude le cas du conférencier qui est peut-être le plus difficile à affronter, car les règles et exercices qui en découleront seront applicables à tous les cas, allant du simple repas familial à une allocution que l'on vous demanderait de prononcer.

La première règle est de vaincre toute appréhension inutile et de maîtriser votre imagination avant qu'elle ne crée trop de dégats. Il faut pouvoir imaginer avec précision la scène que vous aurez à affronter. Vous pouvez même vous rendre sur place, aller visiter la salle où vous devrez parler, monter sur l'estrade si cela est possible et parler à voix haute afin de vous habituer à entendre le son de votre voix se répercuter contre les murs. Marchez quelques instants, prenez possession de l'endroit en quelque sorte, appropriez-vous le. Ensuite il ne sera plus difficile de visualiser la scène avec précision, et votre imagination maintenue dans de justes limites cessera de générer une crainte inutile qui vampiriserait vos énergies.

Ce sont les déréglements de l'imagination qui créent la peur. Vous connaissez d'expérience ces séries de questions dont les premiers mots sont : « Et si ceci ou cela arrivait... ? » ; et bien entendu ce que l'on suppose risquer d'arriver est toujours un événement négatif désastreux et que l'on croit n'être pas de taille à affronter. C'est tout différent de la petite phrase-clé que je vous avais indiquée au début de ce livre et qui disait : « Le pire qui puisse arriver, c'est que telle chose échoue, et ce ne serait vraiment pas catastrophique, car qu'en penserai-je dans dix ans ? Je ne m'en souviendrai peut-être même plus... » Cette dernière attitude est positive, car elle envisage l'échec possible comme un événement inhérent à tout action et dont la portée n'est pas, de loin, si grande qu'on se plaît toujours à se le représenter, afin de mieux pouvoir se prendre en pitié... et se faire plaindre au lieu de risquer encourir la critique.

Donc, toujours avoir regarder la situation en face, afin d'en analyser les tenants et aboutissants avec précision et de parer ainsi à toute mauvaise surprise.

Une bonne préparation mentale est primordiale à toute entreprise, car ce que l'on se fixe comme objectif clairement au fond de son esprit finit toujours par prendre corps un jour ou l'autre.

Imaginez-vous plutôt sans crainte... et sans reproche, comme le Chevalier Bayard, parce que vous aurez tout minutieusement préparé. Le manque de mise au point suffit à engendrer une crainte bien légitime, puisqu'il ne reste plus alors qu'à s'en remettre à Madame la Chance et aux recoins inconnus de son cerveau pour espérer se tirer honorablement d'affaire. Et s'il s'agit d'improvisation, songez que chacun sait que vous n'avez pu vous préparer suffisamment et admire en secret votre courage et votre maîtrise, se sentant bien incapable d'en faire autant. Si donc vous manifestez un peu d'émotion, nul ne vous en voudra et vous attirerez au contraire toutes les sympathies. Les gens qui ne se trompent jamais, ceux qui tels des statues restent de marbre en toutes circonstances, tous ces « demi-dieux » demeurent en général solitaires sur leur piedestal doré, car ils se séparent de l'humain. Ce n'est pas là une position fort enviable. Soyez avant tout autre chose un homme dans sa plénitude !

2) **Augmentez vos connaissances.**

Bien souvent, vous n'osez pas prendre part à une conversation ou à un débat parce que vous craignez de « n'être pas à la hauteur », de vous ridiculiser devant d'autres plus habiles que vous à manier la parole. Il s'y ajoute bien sûr toujours l'élément timidité qui vous retient de rien faire qui puisse attirer l'attention sur vous, mais cela, vous l'avez pratiquement dominé maintenant. Il ne reste donc que le premier problème, celui de votre niveau intellectuel. Et cela n'a rien à voir avec les examens ni aucun diplôme ! Un humble berger des Alpes, s'il a su observer la vie autour de lui, la nature, ses moutons, et s'il possède l'art d'aller du particulier au général, en saura plus sur la société, la vie, la philosophie et la psychologie qu'un universitaire dont l'esprit est concentré exclusivement sur un étroit domaine de recherche dont il ne cherche pas à tirer les lois fondamentales qui pourtant le relieraient à tout le reste. Quelque soit donc votre formation, vous allez tout d'abord chercher à établir une liste des sujets que vous connaissez bien, qui vous passionnent en quelque domaine que ce soit :

— Histoire, jardinage, peinture à l'huile, philatélie, bricolage, politique, soins de beauté, couture, philosophie, foot-ball, chanson moderne, astronomie... ou pêche à la ligne.

Dans ces domaines, n'hésitez pas à approfondir vos connaissances afin de pouvoir toujours en cas de besoin les glisser dans la conversation, afin d'avoir un terrain ferme sur lequel vous engager.

Rencontrez des gens de tous les milieux, de toutes les professions et faites-les parler de ce qu'ils aiment, de ce qu'ils savent. J'ai pu constater que des sujets pour lesquels je n'avais jamais éprouvé auparavant le moindre intérêt, devinrent passionnants lorsque je fis la rencontre de personnes qui s'y intéressaient fort et qui étaient ainsi capables de faire partager leur enthousiasme à d'autres. J'appris l'histoire guerrière romaine de cette façon, en écoutant un de mes amis me conter en détail et avec émotion les divers épisodes de cette histoire : un véritable roman, raconté comme s'il l'avait vécu !

Plus tard je m'intéressai au violon parce qu'un autre ami, excellent violoniste, m'en appris toutes les

« ficelles » : de la fabrication à la technique, de l'historique aux grands concerts. Connaissant les difficultés, je pus apprécier beaucoup mieux ce que j'entendais ; alors qu'auparavant je croyais n'aimer que le piano... parce que jouant du piano depuis mon plus jeune âge, je connaissais bien cet instrument, ce qui me permettait d'apprécier les concerts donnés par de spianistes virtuoses. Cette leçon apprise, je m'efforce depuis de faire parler toute personne jouant des instruments que je connais peu, certaine de pouvoir ensuite m'y intéresser et assimiler une foule de connaissances nouvelles.

Un membre de ma famille, ébéniste, m'initia aux divers bois, me faisant en remarquer les moindres détails susceptibles de renseigner sur une foule de choses passionnantes. Il m'apprit les styles, les techniques et les journées passées dans l'humble atelier de cet amoureux des beaux meubles furent pour moi d'une très grande richesse, aussi bien au niveau des connaissances nouvelles que de l'émotion qu'il me fit partager pour les belles lignes, le galbe harmonieux d'un pied de table ou la délicate incrustation d'une commode. J'appris, au contact de ce vieil homme à vivre l'histoire d'un vieux tabouret qu'il devait remettre en état aussi bien qu'à retracer le périple des troncs d'arbres exotiques dans lesquels il taillait ses planches.

Si vous apprenez à *écouter*, vous serez semblable au tonneau hermétique que l'on remplit d'eau par l'intermédiaire d'un robinet grand ouvert au-dessus de lui ; alors que si vous voulez parler à tout prix, céder au plaisir de vous raconter, le robinet sera toujours ouvert, mais le tonneau percé, et l'eau ne pourra y être retenue. Ne laissez donc passer aucune occasion d'apprendre ; ces occasions sont multiples et il s'en présente chaque jour, à tout moment ; il suffit d'y prêter attention.

Maintenant, vous allez établir une autre liste, celle des domaines que vous connaissez un peu, mais auxquels vous ne vous intéressez guère. Il faudrait que méthodiquement vous puissiez pallier à cette carence en lisant de temps en à autre un ouvrage intéressant, vivant qui résume l'ensemble du sujet de sorte que peu à peu vous ayez quelques connaissances dans tous les domaines, ce qui vous donnera l'assurance suffisante pour participer à n'importe qu'elle conversation.

Travaillez surtout avec méthode. Il ne sert à rien d'encombrer votre cerveau avec de nombreuses lectures si vous ne classez pas correctement dans votre mémoire les informations recueillies. Gardez toujours l'esprit critique afin de pouvoir comparer entre eux les renseignements obtenus. Posez-vous des questions :
— Aie-je déjà entendu parler de cela ?
— Aie-je lu ou entendu exprimer l'opinion contraire ? ou bien analogue, ou complémentaire ?
— Quelle est mon opinion personnelle, à présent que je suis mieux documenté ?
— Cette étude me suggère t'elle d'autres directions de recherche non encore explorées ? Lesquelles ?

Paul Jagot conseille dans son livre, « L'éducation de la parole », de rattacher, dans la mémoire, toute information nouvelle avec méthode, en considérant tout d'abord que la science étudie quatre points particuliers qui sont :
« 1 — L'individualité de l'être humain.
« 2 — L'humanité collective.
« 3 — Le globe terrestre.
« 4 — L'univers. »

Si à chacune de ces grandes sections, on applique la « règle des cinq clefs », à savoir étudier quelque soit le sujet :

« 1 — Origine, antériorité ou causalité.

« 2 — Constitution, composantes ou données.

« 3 — Manifestations, adaptations, propriétés.

« 4 — Lois ou évolution.

« 5 — Finalité. »

on obtient un « classement général des sciences » qui constitue une excellente base d'étude.

J'ai beaucoup apprécié ces conseils qui m'ont aidée et continuent de le faire lorsque j'ai besoin de faire rapidement le tour d'un problème ou d'un sujet à étudier. Aussi je vous le recommande fortement.

3) L'élocution.

Une élocution ferme, claire ; une voix bien posée ; des phrases correctes, précises ; un vocabulaire nuancé : telles sont les principales caractéristiques qu'il vous faut acquérir afin de pouvoir vous exprimer en toutes circonstances avec assurance. Voyons un peu plus en détail chacun de ces points :

a) Élocution ferme et claire — Je ne vous dirai rien de la maîtrise nerveuse à acquérir, nous en avons suffisamment parlé. Outre le problème émotif, susceptible de troubler le mécanisme psycho-verbal, les mauvaises habitudes acquises depuis l'enfance sont les premières qu'il faut dépasser. Il faut apprendre à bien articuler, à prononcer les mots sans en avaler certaines syllabes ni en exagérer d'autres. Pour cela, l'usage d'un magnétophone rend de grands services. Entraînez-vous en premier lieu à la lecture à haute voix et écoutez-en l'enregistrement : c'est le meilleur moyen de constater ce qui ne va pas, et donc de vous entraîner à corriger ce qui est défectueux. Il existe d'excellents manuels de diction qui vous permettront de corriger vos défauts de prononciation et d'apprendre à poser votre voix. Pensez que lorsque vous parlez, c'est pour être entendu : une prononciation correcte rendra vos paroles plus audibles, même si vous avez encore du mal à parler suffisamment fort. Lorsque vous vous entraînez chez vous, habituez-vous à parler d'une voix forte, ferme, décidée. Ceux qui sans · cesse s'expriment d'une voix faible et hésitante passent toujours après ceux qui savent le faire avec assurance. Ne continuez pas à vous adresser aux gens avec l'expression et le ton que vous utilisiez lorsqu'à six ans, petit garçon timide déjà, vous vous adressiez à votre maîtresse d'école ! Vous êtes un adulte face à d'autres adultes, c'est tout.

b) Une voix bien posée. — Que de timides qui ne savent user que des tons graves et monocordes qui sont en eux-mêmes générateurs de négativisme et de dépression psychique ! Savez-vous qu'il existe maintenant certaines techniques de rééducation mentale, psychique, et parfois physiologique, qui passent par le biais de la rééducation auditive et vocale ? Il a été constaté qu'on n'utilise pour parler que les vibrations que l'oreille est entraînée à entendre ; en élargissant le champ auditif, l'élocution s'améliore, ainsi que l'équilibre psychique. On utilise beaucoup pour cela des enregistrements de la voix maternelle passées à travers certains filtres sélectionnant les fréquences dont on veut développer la perception, puis des enregistrements de la propre voix du sujet. Ce que vous pouvez faire seul, c'est essayer d'enrichir les tonalités de votre voix, de la colorer, en tentant d'exprimer diverses émotions ou sentiments par le seul moyen des différences de tons employés. Pour cela, lisez des textes de toutes natures en y

« mettant le ton » le plus juste possible. Peu à peu, vous enrichirez votre voix, de fréquences nouvelles. Situez votre voix dans le médium, c'est-à-dire entre la tonalité la plus grave et la plus aigüe qu'il vous soit possible d'émettre. C'est là que vous éprouverez le moins de fatigue à parler et que votre voix portera le plus loin. Et encore une fois, articulez bien, parlez « dans le masque », c'est-à-dire en vous donnant l'illusion que le son se forme sur les lèvres, car c'est ainsi que votre voix pourra être entendue à une distance suffisante. Ce n'est qu'une habitude à prendre.

c) Des phrases correctes, précises. — Il faut s'entraîner à parler la langue la plus pure qu'il soit possible. Ce n'est qu'une question d'attention et de volonté. Il faut commencer par vous interdire toutes les paroles automatiques qui ne veulent rien dire et qui souvent dénaturent votre propos. N'exprimez rien que vous n'ayez *voulu* dire, ne vous laissez pas emporter par votre élan. Usez de phrases simples, brèves, mais précises. Vous constaterez que vous aviez pris l'habitude bien souvent de compenser vos imprécisions verbales par des gestes apportant le complément d'informations nécessaires à la compréhension de votre message. Pendant quelques temps, vous allez vous interdire ces gestes compensatoires, et tentez de vous exprimer avec les seuls mots, mais ordonnés le plus clairement possible. Vous verrez qu'après des débuts pénibles (quelques jours tout au plus), tout à coup l'habitude se crée et les phrases se mettent soudain à couler naturellement. Ne dites pas que vous ne connaissez rien à la grammaire : tous les jours vous lisez, ne serait-ce que quelques lignes d'un journal ou les lettres commerciales que vous avez à taper, etc... Tous les jours vous écoutez des gens s'exprimer assez correctement à la radio ou à la télévision.

Toutes les phrases correctes que vous entendez vous enseignent le plus naturellement du monde la correction phonétique et grammaticale qui s'imprime au fond de vous-même. C'est pourquoi il n'est guère difficile de faire de rapides progrès en ce domaine. Ainsi, à partir de maintenant, prêtez une attention plus soutenue à ce que vous lisez ou entendez, non seulement quant au contenu, mais surtout quant à la forme, pendant quelques temps.

Travaillez aussi à éliminer les incorrections de prononciation les plus fréquentes, ainsi l'élision de certaines lettres (exemple : I(l) faut qu(e) je...) ou au contraire l'introduction d'une lettre fantaisiste (exemple : L'arc (e'd') triomphe). Prenez l'habitude de faire les liaisons qui s'imposent (exemple : je viens (z) aujourd'hui).

Enfin, songez que pour vous exprimer au moyen de phrases claires et précises, il faut que votre pensée se soit habituée à une certaine consistance, qu'elle ait perdu l'habitude des images informes et des idées vagues qui rendent fort difficile toute formation de phrase. Luttez contre la paresse mentale : ce fléau nous guette tous, si nous n'y prenons pas garde.

d) Un vocabulaire nuancé. — S'il est nécessaire de connaître un nombre de mots suffisant, il faut aussi s'assurer que l'on en connaît la signification exacte, afin de pouvoir les utiliser à bon escient. Lorsque la signification d'un mot vous échappe, prenez le temps de rechercher en votre mémoire d'autres mots de consonnance similaire qui puissent vous éclairer ; par exemple, vous ignorez la signification du mot « orthophonie », pourtant vous connaissez téléphone, phonographe, phonation, aphonie, phonétique, symphonie, polyphonie, etc... Dans tous ces mots, on retrouve « phone » qui semble donc indiquer le son, la voix. Pour ortho : nous avons orthographe qui nous évoque « le fait d'écrire juste, sans erreur », orthodoxe, orthogonal... Orthophonie signifie donc la science (ici le traitement) visant à la correction des défauts de prononciation : « le son juste ».

Le seul apprentissage des mots-racines ainsi que des suffixes et préfixes, vous permettra d'augmenter considérablement votre vocabulaire sans efforts de mémoire, ce qui est appréciable. Vous comprendrez comment sont construits les mots, et vous en aurez ainsi la clé.

Un autre exercice consiste à définir un thème et trouver le plus grand nombre de mots s'y rapportant. Par exemple, les fleurs : hortensia, tulipe, rose, etc... Les nuages : cumulus, nimbus, strato-cumulus... La métallurgie : cuivre, fer... haut-fourneau, usine...

Et lorsque vous rencontrez un mot nouveau, de grâce ne le laissez pas passer négligemment sous vos yeux ; utilisez votre dictionnaire !

4) **Parler en société.**

Une fois bien avancée la mise au point de votre élocution, et après avoir appris à mettre un peu d'ordre et de précision dans vos pensées, il va falloir passer à l'action, et étrenner vos nouveaux talents dès que possible.

Pour cela, allez-y prudemment, sans trop forcer. Pour commencer, trouvez des occasions de lire quelques lignes à haute voix devant plusieurs personnes (article de presse, compte-rendu de réunion, ect...). Ensuite, vous en viendrez à réciter quelque chose, afin de faire intervenir la mémoire. Le palier suivant sera de raconter une petite histoire, une anecdote, un film que vous avez vu ; parlez lentement, posément, en réfléchissant aux choix des mots. Peu à peu vous prendrez l'habitude de vous exprimer en public. Assitez à des conférences, forcez-vous à poser au moins une question à chaque fois, lors du débat qui suit généralement l'exposé du sujet. L'audace et l'assurance en ce domaine ne dépendent guère que de l'entraînement, de la répétition du même effort.

Apprenez aussi à soutenir votre opinion avec assurance lors des controverses. Ne vous laissez jamais impressionner par l'autorité du ton de votre adversaire. Mais ne tombez pas dans l'excès inverse et ne vous accrochez pas à votre opinion comme à votre dernière bouée de sauvetage : restez souple et l'esprit en éveil ; si vous vous apercevez que vous avez tort, n'insistez pas et admettez avec naturel que certains aspects de la question vous avaient en effet échappé. Il n'y a pas d'humiliation à cela, simplement de l'intelligence dont chacun vous sera gré. Si par contre, vous considérez vos arguments comme valables, soyez ferme, réfléchissez à ce que vous allez répondre et efforcez-vous de formuler votre pensée avec précision et nuance, en expliquant comment, pourquoi vous en êtes arrivé à avoir ce point de vue. Dans un dialogue, une discussion, n'oubliez jamais que le but n'est pas la défaite de l'adversaire, mais de mettre en commun tous les éléments que l'on possède sur un sujet précis, afin d'en tirer les conclusions qui s'imposent : vous devrez donc toujours être prêt à voir évoluer votre opinion puisque c'est la raison d'être de l'échange verbal. Ne vous y accrochez pas, encore une fois : il n'y a ni victoire ni défaite !

5) La conférence.

C'est là un exercice très particulier propre à vous guérir de toute timidité fort rapidement si l'occasion vous en est offerte. En règle générale, un timide ne choisira pas de lui-même de devenir conférencier, il faudra un enchaînement de circonstances bien particulières pour qu'il y soit forcé. Pourtant cela peut arriver à chacun, d'une manière ou d'une autre : exposé pour une association, compte-rendu d'une étude de marché, ou conférence publique sur un sujet connu à fond.

C'est ce qui m'est arrivé, un « affreux » jour de printemps, car si le ciel m'était tombé sur la tête, cela m'aurait moins dérangée. Ce fut aussi le début de ma guérison. J'étais à l'époque membre de plusieurs associations au sein desquelles je m'étais peu à peu entrainée à m'exprimer occasionnellement. L'une d'elle organisait des stages d'une semaine de temps à autre et certains amis faisaient des exposés suivis de questions. Tout alla pour le mieux jusqu'au jour où il fut décidé que chacun devait s'exprimer et faire un court exposé improvisé sur les thèmes de son choix ; je m'inscrivis pour le dernier jour, bien sûr, dans l'espoir d'y échapper. Impossible de refuser, sous peine de se rendre ridicule et d'ailleurs il n'y avait présent que des amis très sympathiques, une quarantaine environ. J'usai de l'autosuggestion pour me préparer et me persuadai que ce n'était qu'un exercice, et que le seul échec réel aurait été de refuser. Le jour venu, tremblante et pâle, je me lançai dans mon sujet favori, et grâce aux visages attentifs et pleins d'amitié de mes amis, je pus arriver sans encombre au bout de l'exposé. J'y avais même trop bien réussi car on m'inscrivit d'office sur la liste des animateurs- conférenciers. Là encore, j'aurais pu refuser ; mais depuis plusieurs mois je me débattais seule contre ma timidité et le manque de confiance en moi-même, et j'avais pris la décision de ne laisser passer aucune occasion de me vaincre moi-même. J'acceptai donc de traiter un sujet au prochain stage qui avait lieu trois mois plus tard. Je le préparai longuement, le rédigeai entièrement et l'appris pratiquement par coeur. Ma mémoire me faisait sans cesse défaut, et malgré mon travail sérieux, l'angoisse que j'éprouvais me faisait tout oublier dès que j'apprenais. Je ne devais parler qu'à la fin du stage, autant vous dire que les premiers jours furent gâchés pour moi ! Pourtant, le moment venu, grâce à ma sérieuse préparation, mon triste état nerveux s'améliora au bout de deux ou trois minutes, et soudain, prise par le sujet, j'oubliai ma peur et mon sentiment d'incapacité. Je pus parler environ trois quart d'heure sans problème, et je reste persuadée que ce fut grâce à mes exercices quotidiens de visualisation de cette scène car les choses se passèrent comme je les avais imaginées. C'est comme si au bout de quelques phrases pénibles à extraire d'un cerveau complètement submergé par l'émotion, on entrait soudain dans la peau du person-nage imaginé : calme, lucide, les phrases naissant toutes seules sur les lèvres.

Je me souviens d'un bref instant où je faillis per-dre pied tout à coup : ayant une seconde détourné mon attention de ce que je disais vers ce que j'étais en train de vivre, le trac faillit me reprendre et je n'eus que le temps de me concentrer à nouveau sur l'exposé. Évitez donc toujours soigneusement de laisser une idée étrangère à votre sujet s'imposer à votre mental, ne serait-ce qu'un dixième de seconde : vous risqueriez d'avoir à vivre quelques minutes pénibles avant de réussir à vous remettre en route.

Les circonstances me mirent dans l'obligation,

quelques semaines plus tard, d'affronter plus vite que prévu le stade suivant, à savoir la conférence publique. Nous avions dans notre association un ami conférencier qui faisait régulièrement des tournées de conférences dans toutes les villes de France. Lorsqu'il mourut d'une crise cardiaque en pleine tournée, il fut décidé que nous devions le remplacer aussitôt, ne pas annuler ce qui avait déjà été annoncé. C'est ainsi que je me retrouvai un soir, malade de peur, sur l'estrade impressionnante d'une salle municipale de ma ville, pour faire la conférence prévue devant une centaine de personnes.

Tout se passa très bien ; le trac me quitta sitôt sur scène, faisant place à une lucidité incroyable. Pourtant ma famille venait de traverser quelques jours rendus fort pénibles par mes crises de trac, ma nervosité excessive, et mon manque de maîtrise émotionnelle. C'est dire que ce qui m'arriva tenait du miracle à leurs yeux et aux miens. Prise au jeu, j'acceptai d'autres conférences et fis même quelques « tournées » au cours desquelles il fallait chaque jour changer de ville et de sujet, puisque c'étaient les assistants qui choisissaient le thème qu'ils désiraient voir traiter lors de la conférence suivante !

Je ne vous dirai pas que ce fut facile, que j'étais à l'aise. Mais chaque soir, le premier moment de trac passé, je devenais ce que je voulais être et tout se passait bien. De plus, chaque succès renforçait considérablement ma confiance en moi, et à présent je me sens naturelle en toutes circonstances. Plus personne ne m'intimide, et si ayant à affronter une situation toute nouvelle de caractère propre à impressionner je ressens encore une pointe de trac, je puis m'en libérer et reste libre de disposer de moi-même.

Il ne faut pas tant chercher à supprimer la crainte qu'à la limiter à des proportions tolérables ne risquant pas de provoquer une gêne. Il est normal d'éprouver un pincement à l'estomac lorsque tout à coup l'on se trouve devant cinq cents personnes qui vous regardent et vous écoutent. Ce qui est anormal, c'est d'en être obsédé au point de ne plus pouvoir rien faire et de perdre toute maîtrise nerveuse et mentale.

Voici quelques règles pour le cas où vous ayiez à faire un exposé ou une conférence. Il est bien entendu que vous êtes censé avoir fait correctement vos exercices, et qu'ainsi vous avez déjà beaucoup amélioré votre maîtrise et gagné de la confiance en vous.

a) Préparez-vous le plus soigneusement possible. — Travaillez chaque détail. Il faut prévoir les questions, les objections et savoir ce que vous répondrez. Une bonne préparation vous donnera la confiance de celui qui est mieux informé que ceux qui viennent l'écouter.

b) Rédigez votre conférence. — Faites des paragraphes, donnez des titres aux diverses parties, ce qui vous permettra de toujours savoir où vous en êtes, même si vous vous êtes un peu éloigné de votre sujet. Soulignez les titres avec des stylos de couleur. Par exemple, les têtes de chapitre en rouge, les sous-titres en bleu. Soulignez aussi les phrases importantes, les mots-clés : ils vous sauteront aux yeux au moindre regard. Indiquez aussi les nuances, comme pour un morceau de musique ; si vous voulez insister sur certains passages, marquez-le d'un « forte » par exemple !

c) Apprenez votre texte par coeur, non pas mot à mot, mais soyez capable de vous réciter le contenu de chaque partie dans l'ordre. Ensuite faites votre conférence devant une glace, plusieurs jours de suite ; puis devant des membres de votre famille. Lisez-la à haute voix. À mes débuts, j'enregistrais mon texte sur bande magnétique et le repassais chaque fois que j'étais en voiture, même si je ne disposais que de quelques minutes. Cette technique m'aidait beaucoup à mémoriser les moindres détails et à m'inprégner du style que je désirais employer ainsi que du ton.

d) Allez visiter « votre » salle quelques jours avant la conférence ; montez sur l'estrade s'il y en a une, faites un essai de voix. Vous pourrez ensuite visualiser l'événement avec plus de précision, et lorsque vous vous y rendrez le moment venu, vous y serez plus à l'aise en un lieu familier. Si l'occasion s'en présente, assistez à une conférence dans cette même salle quelqu'en soit le sujet, peu de temps avant la vôtre. Observez la salle, les gens, l'orateur, voyez comment il se comporte, ce qu'il faut faire ou ne pas faire ; parle-t-il assez fort ? Se tient-il correctement ? Mettez-vous à sa place, et profitez de son expérience pour apprendre quelques détails de plus dont vous pourrez tirer parti vous-même. Si cette conférence est suivie d'un débat, forcez-vous à poser ne serait-ce qu'une question ; elle sortira peut-être péniblement de votre gorge, mais un important travail sera fait lorsque ce sera vous qui serez sur l'estrade : vous aurez déjà entendu le son de votre voix dans cette même salle pleine de monde ! Et je puis vous affirmer que lorsque vous serez le meneur de jeu, vous vous sentirez beaucoup plus sûr de vous qu'en posant une question sur un sujet que vous connaissez peu et sans préparation.

e) Le jour de la conférence, parlez le moins possible, pas du tout même, afin de ménager votre voix et vos nerfs. Reposez-vous, écoutez de la musique appaisante, allez vous promener un peu dans la nature et respirez, respirez tout au long de la journée. Le calme qui s'établira en vous, refusez à quiconque le droit de le perturber, si peu que ce soit. Ne voyez personne dans l'heure qui précède votre arrivée dans la salle. Habillez-vous soigneusement et soyez sûr de votre tenue. Enfin, arrivez à l'heure, d'un pas ferme, en refusant à votre émotion toute manifestation. Une fois devant votre table, prenez votre temps. Sortez vos documents avec calme ; regardez tranquillement votre public, encore occupé à parler, habituez-vous à lui. Respirez encore profondément en répétant vos suggestions de calme, de réussite, de joie de pouvoir faire partager à tous ces gens venus vous entendre, l'intérêt que vous éprouvez pour votre sujet.

f) Et maintenant, commencez. Tenez-vous droit, sans raideur, restez naturel, ne jouez pas au professeur. Adressez-vous à votre public comme à des amis, souriez. Racontez des anecdotes s'il vous en vient, cela vous détendra et reposera vos auditeurs. Et ne pensez qu'à ce que vous faites, soyez concentré sans crispation. Tout cela est plus facile qu'il n'y paraît.

g) Si à un certain moment il vous arrivait de vous embrouiller, restez calme. SOURIEZ. Reprenez la situation en main à l'aide d'une plaisanterie : « Décidément, cette phrase ne veut pas sortir... » Vous mettrez le public avec vous ! Respirez calmement, prenez quelques secondes pour consulter vos notes et repartez. Il n'y a là rien d'extraordinaire : on n'est pas venu assister à une démonstration d'éloquence, mais écouter ce que vous aviez à dire sur un sujet particulier, ce qui est fort différent !

h) Placez toujours une montre sur la table devant vous, pour surveillez l'heure. Il est très facile de se laisser emporter et de parler plus longuement que prévu...

Ayant fait tous ces efforts, vous étant entraîné courageusement et ayant mis toutes les chances de votre côté, vous constaterez que les résultats dépassent vos espérances ; que vous vous sentez au moment critique comme soutenu par une force inconnue qui vous permet de vous surpasser et sur laquelle vous prenez l'habitude de compter. Ce vieil adage : « Aide-toi, le ciel t'aidera ! » est toujours valable, et qu'importe ce que vous pensez de ce « ciel » : que ce soit une force extérieure ou provenant de vous-même, vous lui donnez le moyen de se manifester et elle le fait chaque fois que cela est nécessaire.

J'ai souvent déjà eu l'occasion de constater que, quelque soit les circonstances, on a *toujours* la force de faire ce que l'on croit devoir être fait, et même de fournir un effort très prolongé.

J'ai personnellement fait plusieurs fois l'expérience que voici : atteinte d'une grave maladie depuis plusieurs mois, et alors que je me trouvais très faible physiquement, et psychiquement très affectée, il se présenta l'occasion unique me permettant de sortir enfin du marasme financier où je me trouvais alors plongée ; il s'agissait d'un travail fort intéressant mais devant être fait dans des délais très courts. Je n'avais pas le choix et acceptai, en me demandant par quel miracle je tiendrais le coup. J'eus à travailler de façon soutenue pendant un mois avec une moyenne quotidienne de quinze à dix sept heures de travail, et donc peu de sommeil. Eh bien, je suis sortie de l'épreuve en meilleur état que je n'y étais entrée ; durant mes heures de travail, je sentais l'énergie affluer, comme si je la pompais directement dans un grand réservoir. Cela cessait dès que je me laissais aller à des pensées négatives du genre : « Je voudrais quand même bien me reposer un peu, j'en ai assez, je n'ai pas de chance d'être ainsi, etc... » Au bout du compte, j'étais fatiguée, mais comme n'importe qui l'eût été après un tel marathon, et non en rapport avec mon état de santé. Peu de temps après, un second travail me fut proposé et là encore j'acceptai. Je refis la même expérience. Pourtant, médecin et amis me prédisaient la catastrophe, l'effrondrement...

Je ne vous conseille nullement le surmenage, ne vous y trompez pas. Il faut garder un jugement sain. Mais si la vie semble vous pousser, sans guère vous laisser de choix, vers certains chemins, allez-y avec confiance, car vous avez toujours en vous les éléments nécessaires et la force suffisante. Bien sûr, si vous mésusez de cette force, si vous vous surmenez sans raison valable, vous risquez vraiment d'en manquer, et de vous retrouver épuisé sans avoir rien réalisé. Mais si quelque chose vous est demandé avec insistance, ne regardez pas en arrière et allez-y : dans ce cas-là, il n'y a rien à craindre de fâcheux.

6) Technique de l'animation de groupe.

L'expérience journalière permet de souligner un certain nombre d'évidences :

a) nous faisons tous partie d'un groupe, puisque nous vivons en société. Dans les diverses circonstances où nous nous trouvons, la société est représentée par des groupes d'individus, par exemple :

— à la maison : parents et enfants
— à l'école : professeurs et élèves
    au travail : collègues + supérieurs + subordonnés.

Tous ces groupes sont bien entendu extrêmement divers dans leur composition et leurs comportements.

b) nous avons tous à communiquer avec autrui puisque nous vivons en groupe : nous communiquons par écrit, par la parole, par les gestes.

c) nous sommes la plupart du temps dans une position de « relais », à partir du moment où nous avons une responsabilité quelconque dans un groupe ; le « relais » doit savoir remplir son rôle de « charnière » entre différents plans et s'adapter ; il doit savoir en toutes circonstances établir de bonnes relations, à l'intérieur comme à l'extérieur des groupes. On vous a demandé de conduire une réunion, que ce soit en rapport à votre travail, ou pour décider de l'organisation de la prochaine fête locale ! La première chose est de préparer les assistants :
— les mettre à l'aise.
— exposer l'objectif de la réunion en précisant le sujet avec clarté et concision.
— Rappeler que ce sujet intéresse chacun de ceux qui sont présents.
— délimiter la discussion et en proposer le plan.
Ensuite, vous allez animer et guider la discussion ; il vous faut :
— formuler la question de démarrage de la discussion.
— faire exprimer opinions, points de vue, expériences de chacun.
— confronter les arguments en veillant à ce que chacun participe.
— éviter les disgressions, controverses, retours en arrière.
— rester dans le cadre du plan.
Il s'agira ensuite de faire le point sur ce qui a été discuté :
— en faisant ressortir les points d'accord et de désaccord.
— formuler les conclusions partielles sitôt qu'elles se dégagent.
— maintenir une atmosphère de confiante collaboration.

— s'assurer que les conclusions partielles ont été bien comprises et acceptées.

Enfin, il va falloir faire adopter des conclusions pratiques.

— en récapitulant les conclusions partielles.

— en guidant les assistants vers une conclusion générale constructive.

— en obtenant l'accord en faveur de cette conclusion finale

— en insistant sur la mise en application des décisions contenues dans la conclusion.

Il est en général fort utile de rédiger un compte-rendu de la réunion et d'en remettre un exemplaire à chaque participant.

Ce plan de réunion pourra vous être utile en de nombreuses circonstances et même vous aider dans une simple discussion en famille ou avec des amis, s'il s'agit de prendre une décision. Étudiez-le, imprégnez-vous de ces principes généraux, et mettez-le en pratique. Que de vaines controverses familiales seraient supprimées si chacun voulait bien tenir compte des quelques règles élémentaires qui régissent les groupes !

7) Quelques trucs utiles.

— Si vous vous sentez encore trop mal à l'aise lorsque vous parlez en public, évitez de balayer du regard le groupe qui vous écoute : regardez le fond de la salle, ou bien deux ou trois personnes amies et parlez comme si c'était à elles que vous vous adressiez.

— si un membre du groupe parle trop, arrêtez-le en résumant ses dires et posez une question à quelqu'un d'autre : « Qu'en pensez-vous, Monsieur ? »

— si votre conférence doit être suivie d'un débat et que

personne n'ose poser la première question, essayez de raconter une petite anecdote afin de détendre l'atmosphère ; soyez familier et souriant. Si rien n'y fait, bluffez, cela marche toujours : vous vous adressez à quelqu'un dans la salle qui vous avait semblé très attentif et lui dites : « J'ai vu tout-à-l'heure que vous aviez une question à poser, de quoi s'agissait-il ? » et vous insistez pour obtenir cette question. Dans ce cas toute l'assistance se tourne vers l'intéressé qui préfère poser une question que de rester dans cette position peu confortable. La première question posée, les autres suivront en général sans difficulté.

— n'évitez plus jamais une personne parce que vous savez qu'elle vous dira des choses désagréables ou va vous demander quelque chose que vous devez lui refuser. Soyez ferme. Qu'il n'y ait personne au monde qui vous donne l'impression que vous n'oseriez pas lui parler. Avec un peu d'entraînement, cela ne vous posera bientôt plus aucun problème.

— avant de faire un exposé ou d'animer une réunion, évitez les glaces, les boissons glacées, le tabac... et les cache-nez en laine, qui irritent la gorge et éteignent la voix.

— si vous commencez à parler, lorsque le silence est établi, d'un ton très bas, on vous écoutera avec plus d'attention et nul n'osera dire un seul mot à son voisin. Mais pour vous faire comprendre il faudra alors articuler parfaitement.

— pour vous exercez à mieux articuler, placez un crayon entre vos dents et gardez-le ainsi en articulant des textes de plus en plus difficiles.

— enfin, procurez-vous un manuel enseignant la « lecture rapide ». Cela vous rendra de multiples services... dont celui de pouvoir photographier en un seul coup d'oeil tout un paragraphe de votre exposé, ce qui sera pour vous aussi rassurant que si vous lisiez simplement votre texte tout en donnant à votre public l'impression que vous improvisez (rien de plus ennuyeux qu'une conférence lue ostensiblement !).

Et n'oubliez pas que vous devrez très vite en arriver à vous passer de votre texte et de vos notes ; la préparation ne consistera plus qu'en l'accumulation des matériaux nécessaires, et vous improviserez votre conférence dans sa forme, ce qui laissera toute latitude pour vous adapter avec aisance et souplesse à votre public. Cela se fera plus facilement que vous ne le croyez !

Chapitre IX

L'ENFANT TIMIDE

1) **Causes de la timidité enfantine.**

La timidité est l'un des défauts les plus courants de l'enfance, et certainement celui qui est le mieux accepté par les parents : un enfant qui ne dit rien en société est considéré comme un enfant bien élevé.

Il faut bien reconnaître ici que les parents et les éducateurs sont les plus grands responsables du développement de ce grave handicap.

Les mères qui « couvent » leurs petits, les familles peureuses qui mettent plusieurs verrous aux portes, suscitent un sentiment d'insécurité qui oblige l'enfant à se renfermer sur lui-même.

Même résultat lorsque des parents trop imbus de leur situation sociale ne permettent pas à leur enfant de « se mêler à n'importe qui ». Devenu orgueilleux, conscient d'une supériorité, il s'isole sans comprendre que les autres enfants ont eux aussi des possibilités qu'il ignore.

Il y a aussi les parents ambitieux, qui exigent trop du petit et ainsi le découragent et lui font perdre confiance en lui-même... Les parents trop actifs, trop rapides, que des enfants plus lents ne peuvent suivre qu'avec peine et qui en viennent un jour ou l'autre à abandonner cette vaine poursuite... Et surtout les parents qui ne comprennent pas qu'un enfant ne vient pas au monde parfait, et qui ne cessent de le harceler de moqueries, de relever la moindre maladresse aussi bien que revenir sans arrêt sur un défaut physique.

2) Si le mal est fait :

— Il faut aider l'enfant à développer au maximum ses possibilités personnelles, surtout dans le domaine artistique qui peut lui permettre quelques succès rapides.

— Ne plus jamais faire mention de la timidité et autosuggestionner positivement l'enfant en affirmant à toute occasion que cela est passé.

— Il faut apprendre aussi à l'enfant à s'exprimer : lecture à haute voix, chant, et lui donner l'occasion de rencontrer régulièrement des petits amis de son âge.

— Et surtout, savoir l'entourer d'amour et de chaude sympathie, manifester la compréhension de ses maladresses en l'encourageant sans cesse, afin de l'aider à se libérer de la crainte, de l'orgueil, et de tout complexe d'infériorité. Soyez très patient. Quand il commencera à se sentir vraiment libre, accepté, encouragé par vous, le reste viendra tout seul, car il n'aura plus qu'à suivre la voie naturelle de l'enfance qui est la curiosité de l'existence et la réalisation de soi.

3) Habituez de bonne heure l'enfant aux contacts sociaux.

Depuis son plus jeune âge, un enfant doit rencontrer des étrangers, paraître en public. Il est bon de lui confier certaines tâches le mettant en valeur : par exemple, présenter un plat de petits fours lors de la visite d'amis ou même lors d'une réception. J'ai connu une petite anglaise qui, à quatre ans, était capable de porter le plateau de thé et distribuer les tasses fort correctement. Elle recevait alors remerciements et félicitations de la part de chacun, ce dont elle était très fière. Les parents n'omettaient jamais de saisir la moindre occasion de lui prodiguer des encouragements et de lui apprendre à se débrouiller seule, ce qui lui donnait confiance en elle-même. Les erreurs étaient aussitôt minimisées et on la persuadait que c'était naturel à son âge, mais qu'elle allait bien vite apprendre à être plus adroite encore. C'est le genre d'attitude que tout parent conscient de son rôle d'éducateur devrait avoir face à son enfant.

De plus, la compagnie d'autres enfants est nécessaire et très tonifiante, car le petit y apprendra les rudiments de la vie en société de manière naturelle, et cela vaudra toutes les leçons de morale du monde.

Il faut aussi l'habituer à parler, jouer, réciter, agir devant un public. Faire apprendre à l'enfant une fable et lui demander de la réciter devant des amis est un bon entraînement, à condition de considérer cela comme quelque chose ne posant aucun problème. Si l'enfant se sent intimidé, dire qu'il est un peu fatigué, ou que cela arrive à tout le monde d'oublier quelque chose, mais ne faire aucune allusion à la timidité.

Par un entraînement patient et progressif, il apprendra à s'exprimer avec naturel en toute circonstance. La grande règle est de ne rien brusquer, d'avancer pas à pas en répétant plusieurs fois des expériences semblables avant de passer à un exercice plus difficile. Il faut éviter les échecs dans ce genre d'exercices car ils constituent pour l'enfant de puissantes autosuggestions négatives qu'il n'absorbe que trop aisément ! Donc, patience, persévérance... et AMOUR.

4) Fortifiez sa volonté.

Faites constater à l'enfant ses moindres succès. Il ne s'agit pas de le rendre vaniteux ni orgueilleux, donc il ne faut pas non plus manifester une admiration éperdue parce qu'il a réussi quelque chose ; ce serait là un excès tout aussi préjudiciable que l'autre à son bon équilibre psychique. Non, il suffit de savoir faire constater à l'enfant ses progrès, afin de lui donner de l'assurance et fortifier ainsi sa volonté. Dans cet esprit, un échec, une maladresse, n'ont plus le même caractère qu'habituellement : l'enfant, avec votre aide, va essayer de comprendre son échec, d'en voir les causes et de tirer les conclusions qui s'imposent pour que cela ne se renouvelle pas ; vue sous cet angle, la situation malencontreuse sera source d'enseignement et de perfectionnement, encourageant l'enfant à sans cesse mieux faire comme s'il s'agissait d'une compétition menée avec lui-même.

Il faut aussi habituer l'enfant à fermer la bouche et à respirer par le nez, à acquérir la maîtrise de ses muscles ; ainsi, il faut lui apprendre à regarder franchement et non à la dérobée, à éviter les grimaces ou toute crispation de la face quand il fait un effort, lit, joue ou pense. Sa puissance mentale et sa maîtrise émotionnelle en seront renforcées d'autant.

Il importe de créer des situations obligeant l'enfant à prendre des décisions et à les exécuter. On laisse trop souvent les enfants dans des impasses où il ne leur reste rien à résoudre, cela ne peut les mener qu'à l'indécision et l'irrésolution. Laissez-les faire leurs expériences, en vous contentant d'exercer une surveillance discrète bien qu'efficace. Obligez-les à s'exprimer, demandez-leur souvent leur avis, apprenez-leur à formuler leur pensée, afin de former leur jugement. Discuter avec un enfant est le meilleur moyen d'aider au développement de son intelligence, de son esprit critique, de l'habituer à réfléchir et à mettre de l'ordre dans ses idées. C'est ainsi que se développe peu à peu la présence d'esprit...

Enfin, il faut pour fortifier sa volonté, l'obliger calmement mais avec fermeté, à aller jusqu'au bout de ce qu'il entreprend. De même, si un beau jour il désire avec force un objet (jouet ou autre), donnez-lui le moyen de l'acquérir en mettant en jeu sa volonté et sa persévérance ; décidez avec lui, par exemple, que vous lui remettrez chaque semaine une petite somme d'argent qu'il devra prendre garde à ne pas dépenser, ou bien que chaque fois qu'il accomplira une certaine tâche ménagère, il gagnera une certaine somme d'argent. Cela l'habituera à un effort soutenu pour arriver au but qu'il s'était lui-même fixé...

5) Donnez-lui confiance en lui-même.

Vous ne serez jamais trop prudent pour éviter de froisser involontairement un enfant sensible, et l'empêcher de douter de lui ou d'être craintif. Surtout, ne vous moquez jamais de sa timidité, il s'en ressentirait toute sa vie ! Certaines phrases doivent n'être jamais pronocées : « Il est timide », « il a peur », « il est si craintif ». Ne jamais non plus demander à l'enfant « s'il n'a pas peur » ou « s'il ne se sent pas intimidé », ce qui équivaudrait à lui suggérer qu'il pourrait bien y avoir une raison de craindre ! Il vaut mieux laisser croire à l'enfant que personne n'a remarqué sa gaucherie, et aiguiller ses pensées sur des causes de la maladresse autres que la cause émotive.

Ne jamais dire à un enfant, ou en sa présence, qu'il est laid ou qu'il est trop petit ou trop grand... Ce serait développer inutilement en lui la souffrance d'une infériorité qui le rendrait craintif et peu sociable.

On ne doit jamais dire non plus : « Tu es bête », car persuadé de son manque d'intelligence, l'enfant n'essaye plus de comprendre ni d'apprendre. Mieux vaut le flatter indirectement en s'adressant à une tierce personne à laquelle on parle des progrès réalisés que l'on veut voir se développer chez l'enfant qui, mine de rien, ne perd pas un mot de ce qui se dit à son sujet.

Emile Coué indiquait une méthode simple pour suggestionner un enfant à son insu (« La maîtrise de soi-même par l'autosuggestion consciente »). Les parents « doivent attendre que l'enfant soit endormi. L'un d'eux pénètre avec précaution dans la chambre, s'arrête à un mètre de son lit, et lui répète quinze ou vingt fois en murmurant toutes les choses qu'il désire obtenir de lui, tant au point de vue de la santé, du sommeil, que du travail, de la conduite... etc... puis il se retire comme il est venu en prenant bien garde de ne pas éveiller l'enfant ».

En renouvelant régulièrement l'expérience, l'enfant en vient à faire ce que les parents désirent, consciemment ou non. Tous les parents devraient essayer l'efficacité de cette méthode qui ne présente aucun danger.

6) Maîtrise de l'imagination.

Celle-ci est très féconde chez les jeunes enfants et il ne faut surtout pas la freiner, car cette faculté éminemment constructive est absolument nécessaire au développement physique et psychique du petit. Il faut seulement éviter qu'elle ne l'égare en des craintes dévastatrices. Tous les enfants jouent à se faire peur, mais c'est la méthode naturelle d'acquisition du courage ! Tout ce qu'il faut faire, c'est obliger l'enfant à faire la différence entre ce qu'il imagine et la réalité tangible. S'il craint d'aller chercher un objet dans une pièce sombre, ne vous moquez pas de lui, cela ne ferait qu'accroître son désarroi ; au contraire analysez avec lui sa peur, démontez-en le mécanisme pour lui prouver que les dangers qu'il craignait étaient tous imaginaires. Renouvelez ce genre d'expérience fréquemment, et demandez-lui après l'explication de montrer qu'il n'a plus peur maintenant et qu'il sait n'avoir rien à craindre. Au début, restez avec lui, puis progressivement augmentez la difficulté de la situation à dominer, afin que sa maîtrise se renforce sans qu'il s'en rende compte.

7) L'enfant paresseux.

Les paresseux sont de deux sortes : les enfants très doués, qui apprennent très vite, s'ennuient en classe et ne se sentent pas obligés de faire des efforts ; ceux-là remettent toujours leur travail à plus tard au moment des compositions et des examens.

Les autres sont en général des timides, accablés de moqueries et de critiques, et qui sont persuadés de l'inutilité de l'effort, de la lutte ou du travail puisque « de toute façon ils n'y arriveront pas ! » Résigné, replié sur lui-même, triste, l'enfant peut en arriver à détruire son intelligence, ses facultés intellectuelles natives. Dans ce cas, les punitions ne servent qu'à l'accabler un peu plus, jusqu'à ce qu'il se révolte au moment de l'adolescence !

_____

En premier lieu, il faut le faire examiner par le médecin, afin de savoir s'il ne s'agit pas simplement de troubles organiques. Combien d'enfants traités de paresseux et qui ne sont que fatigués et anémiques !

Le reste du traitement est évident : culture de la confiance en soi, de l'estime de soi-même ; maîtrise nerveuse, développement de la volonté, et surtout lui rendre sa joie de vivre ! En ce domaine plus qu'ailleurs il est important de souligner le moindre succès et de glisser sur les inévitables mauvaises notes ; ainsi traité, l'enfant se transformera très vite : il ne demande que cela !

CONCLUSION

Dans ces pages fut semée la graine de votre épanouissement personnel ; à présent c'est à vous, à vous seul de la faire germer et croître en un arbre magnifique.

Ce que vous venez de lire, quelque chose en vous le savait déjà ; mon rôle n'était que de lui donner une forme matérielle afin de vous aider à en prendre conscience.

Tout est en vous et vous pouvez tout, vous seul !

Souvenez-vous que rien ne s'obtient sans patience : c'est peu à peu que vous gravirez la montagne qui vous semblait infranchissable ; l'impatience et l'impulsivité vous épuiseraient bien avant d'avoir même entrevu le sommet ! Vous le savez bien : ce sont les petites ruisseaux qui font les grandes rivières.

Ayez toujours foi en vous. Les choses ne vous apparaissent belles ou tristes qu'au travers du regard que vous dirigez vers elles : êtes-vous heureux, le plus morne des paysages en est tout ensoleillé !

Lorsque vous aurez terminé l'entraînement systématique que je vous ai proposé, vous serez déjà très différent. Malgré cela, il se peut que vous connaissiez un moment de rechute, dû à la fatigue ou au laisser-aller : il suffira alors de reprendre certains des exercices de ce livre, et tout rentrera très vite dans l'ordre. Les exercices d'autosuggestion ne devraient pas être interrompu durant plusieurs mois si vous désirez obtenir des résultats en profondeur. Les exercices de développement de la conscience, d'observation, doivent en arriver à s'inclure dans vos automatismes, vous apportant une aide considérable dans la conduite de votre vie, car vous serez de ceux qui « voient » et « entendent », qui « sentent ce qui se passe », et vous récolterez ainsi une abondante moisson d'observations dont vous pourrez utilement tirer parti, pour vous-même ou pour d'autres. Vous deviendrez ainsi un excellent psychologue et saurez de mieux en mieux vous intégrer dans le monde.

Surtout, prenez garde à l'inertie : ne vous laissez pas à nouveau reprendre par cette traîtresse ! Prenez-vous en charge vous-même : votre vie vous appartient, de même que votre santé, vos réussites comme vos échecs. Cessez de toujours vous chercher une excuse : tout est en vous, vous êtes ce que vous voulez être ; peut-être simplement aviez-vous oublié de vouloir...

Et ne vous laissez plus « piéger » par les apparences : elles trompent toujours. Cherchez *ce qui est*, au-delà de l'apparence ; essayez de saisir l'homme derrière le personnage qui voudrait vous impressionner ; vous retrouverez alors l'humanité dans son unité, dans son effort émouvant vers le Beau, le Bien, le Vrai ; nul homme n'aura plus aucun pouvoir sur vous, vous serez un être libre, indépendant, maître de lui-même et de sa vie et donc responsable. Ayant développé, mis au jour ce que vous êtes, libéré des chaînes dont vous vous étiez vous-même entravé, vous devenez enfin capable d'Amour. Vous ne redouterez plus rien, ni la mort, ni la vie, ni la souffrance, parce que vous aurez pris le chemin qui mène au-delà du voile des apparences. Il y a tant de choses ignorées dans l'Univers que nous habitons ! Soyons donc satisfaits de ce que nous possédons en nous, et apprenons à obtenir le maximum de rendement de toutes nos facultés.

Et puis, utilisons-les le mieux possible, jour après jour, en vivant le plus parfaitement, le plus intensément possible le moment qui nous est donné, sans nous perdre dans un passé auquel nous ne pouvons rien changer ni vers un avenir qui se dérobe à notre vision. « C'est ainsi que l'homme confiant en lui dompte l'adversité, marche sans peur et sans défaillance, utilise judicieusement ce qu'il possède, grandit sa puissance sereine, va droit au but et traverse victorieusement les flots tumultueux de l'océan de la vie » (L.E. Gratia : le trac et la timidité).

TABLE DES MATIÈRES

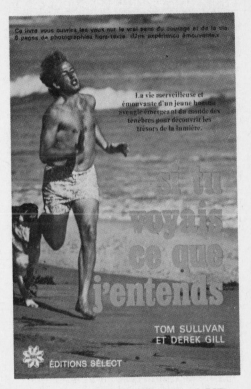

SI TU VOYAIS CE QUE J'ENTENDS

Tom Sullivan et Derek Gill
224 pages — $6.95

Tom Sullivan est aveugle. Vous traverserez, avec lui, toutes les émotions d'un jeune homme vigoureux qui refuse de s'avouer vaincu. Il voit la vie comme il la sent.

En vente chez votre fournisseur
habituel ou chez

PRESSES SÉLECT LTÉE
1555 ouest, rue de Louvain
Montréal, Qué. H4N 1G6

VOTRE RÉINCARNATION

par Jean-Louis Victor

Le lecteur qui s'intéresse au phénomène de la réincarnation et aux problèmes qu'elle soulève (la religion, les tabous, les croyances populaires), pourra trouver dans cet ouvrage quelques éclaircissements. De plus, les faits relatés dans cet ouvrage (réincarnation, clairvoyance, dédoublement de la personnalité, etc.) ne pourront laisser le lecteur passif ou indifférent.